대서양의 역사

ATLANTIC HISTORY : Concept and Contours

대서양의 역사

개념과 범주

버나드 베일린 지음 백인호 옮김

대서양 역사 세미나의 회원들에게 이 책을 바칩니다.

한국어판 서문

전통적으로 수많은 현대사들이 국가의 역사 다시 말해 국민 국가, 국가의 문화, 국가의 경제체제와 정치체제의 발전이라 는 관점에서 쓰였다. 그러나 근래에 유럽과 미국의 역사가들 은 개별 국가에서 벗어나 국가보다 큰 탐구 단위인 지역 통합 체regional entity를 자신의 연구와 저술의 구조틀framework 로 간주하기 시작하였다. 여기서 지역적 통합체는 여러 국가 와 국민을 포함하는 하나의 통합적인 지역으로서 서사 형태로 전달할 수 있는 지역 나름의 역사를 가진 통합체를 말한다. 따 라서 지중해 세계는 북아프리카, 유럽 남부, 근동의 많은 국가 들과 국민들을 포함하는 지역 통합체로서 광범위한 연구의 대 상이 되었다. 좀더 최근에는 북아메리카, 남아메리카, 서유럽 과 서아프리카를 포함하는 대서양 세계가 역사적 탐구의 일관 성 있는 단위로 주목을 받고 있다.

『대서양의 역사』는 인간 역사의 방대한 지역 단위를 다룬다. 다시 말해 이 책은 유럽이 아메리카 대륙을 발견한 시대부터 유럽의 대서양 제국이 붕괴하고 산업주의가 등장한 19세 초에 이르는, 대서양 분지를 접하는 땅과 그 사람들의 역사이다.

이 책은 크게 2부로 나뉘며 따라서 두 가지 목적을 가지고 있다. 제1부는 제2차 세계대전 이후에 군사적·정치적·이데올로기적 세력들이 어떻게 역사가들로 하여금 대서양 지역 전체를 역사적 탐구의 유용한 단위로 포함하는 확대된 관점을 갖게 하였는지를 보여준다. 제2부는 유럽의 신대륙 발견 이후에 첫 300년 동안에 대서양 지역이 발전해온 역사를 큰 그림으로 그려보고자 하였다. 대서양 세계는 19세기에 지구의 대부분을 지배하고 근대성의 기준norm을 만들어낸 경제적·과학적·군사적 그리고 정치적 힘을 만들어냈다.

오늘날 우리는 아시아, 아프리카, 유럽, 그리고 미국의 세력들이 근대 초 대서양 세계보다 훨씬 큰 하나의 세계를 만들기 위해 지속적으로 상호작용하는 전 지구적 세계에서 살고 있다. 대서양 지역의 초기 역사는 어떻게 오늘날과 같은 전 지구적 세계가 만들어졌는지를 밝히는 데에 도움을 줄 것이다.

서문

역사는 행동과 생각에서 실제로 일어난 것이다. 역사는 또한 역사가들이 만드는 것이기도 하다. 이 책은 역사가 지금 주목하고 있는 대단히 광범위한 주제와 관련된다는 점에서 둘 모두에 관한 책이다. 이 책은 역사가들의 인식의 발생, 그리고 주제 자체의 성격을 추적하고자 한다. 이렇게 방대한 주제에 대해서는 나를 포함하여 관련된 모든 영역에서 전문가인 사람은 아무도 없다. 나도 어떤 부분에는 경험이 많지만, 다른 부분에서는 경험이 적으므로 해당 전문가들에게 의지하기도 한다. 하지만 어떠한 제한이 있든 간에, 이 책은 두 가지 측면을 모두 제시하여, 서양사에서 대서양 역사라는 특정한 길에 대한 담론을 조금이나마 확대하고자 하는 노력이다.

차례

《일러두기》

1. 이 책은 Berlard Bailyn, *Atlantic History: Concept and Contours*(Cambridge, Massachusetts: Harvard University Press, 2005)를 완역한 것이다.
2. 인명, 지명 등의 고유명사는 원칙적으로 외래어 표기법을 따랐으며 처음 나올 때만 원어를 병기하였다. 단 널리 알려져 있거나 혼동의 여지가 없는 고유명사는 원어병기를 하지 않았다.
3. 본문 안에서 〔 〕안의 내용은 역자가 보충한 것이다.

{

I

대서양 역사의 개념

}

유럽인들이 서반구와 처음 만난 순간부터 혁명의 시대에 이르는 대서양 역사Atlantic History는 일부 역사가들에게는 생소한 주제이고, 다른 역사가들은 존재하지 않는다고 말하는 분야이기도 하다. 대서양 역사라는 것이 존재한다고 해도 쉽거나 명확한 정의는 없다. 하지만 최근 몇 년 사이에 미국 전역에 걸쳐서 대학에서 대서양 역사를 가르치는 프로그램들이 생겨났으며, 동시에 아일랜드의 갤웨이, 스코틀랜드의 던디, 리버풀, 시드니, 빈과 함부르크와 같은 다른 나라에서도 대서양 역사를 가르치고 있다. 미국 대학들은 강사를 구할 때 대서양 역사를 바람직한 전공으로 지정하고 있다. 미국역사학회 American Historical Association는 대서양 역사에 대한 저술들에게 상을 주었다. 함부르크, 레이덴, 글래스고와 윌리엄스버그에서는 대서양 역사를 주제로 하여 국제학술대회를 열었다. 하버드 대학은 워크숍과 웹사이트와 출판을 포함하는 연구프로젝트 행사의 하나로, 네 개의 대서양 대륙에서 온 젊은 역사가들을 위해 매년 대서양 역사에 관한 연례 세미나를 개최하고 있다. 대서양 역사에 대한 논문들이 여러 학술 대회에서 발표되고, 네덜란드의 『여정Itinerario』, 프랑스의 『18세기 Dix-Huitième Siècle』를 비롯한 학술지들에 실렸다.[1]

대서양 역사에 대한 이러한 관심이, 지리적인 명칭 이상의 관심으로 다시 말해 주제 자체로 그리고 역사적 개념으로 우리가 알고 있는 세계의 발전에서 근본적인 과정으로 어떻게 나타나게 되었는가는, 그 자체로 하나의 역사다. 이는 20세기 후반 공적 영역과 전문적 학문의 내적 충동, 그리고 역사를 쓰는 사람들의 사회적 상황에 관한 이야기다. 대서양 역사에 대한 관심은 현실과 완전히 유리된 과거에 대한 관념에서 생겨난 것도 아니고, 현재에 대한 시대착오적인 배경투사back-projection에서 생겨난 것도 아니다. 대서양 역사는 근대 초 역사에 깊이 새겨진 한 부분으로, 현재를 이해하는 데 특히 적합한 역사이다. 대서양 역사의 기원과 발전은 역사학 연구에서 사상에 대한 설명과 개념의 조직화가 나타나는 일반적 과정과, 사상과 개념을 강요하고 조직화하는 동력을 설명할 것이다.

I

대서양 역사라는 개념은 어떻게 발전하였을까? 비록 피에르 쇼뉘Pierre Chaunu와 같은 프랑스의 '대서양파Atlanticists'가 브로델의 유명한 책에서 영감을 받았다며 브로델의 이름을 의식儀式적으로 거론함에도 불구하고, 대서양 역사라는 개념은 지중해 역사에 대한 페르낭 브로델Fernand Braudel의 개념을 모방한 것이 아니다. 브로델의 『펠리페 2세 시대의 지중해와 지중해 세계』는 한 세계의 구성요소들을 한데 모은 것이 아니라 세 차원의 시간대로 분리했다는 점에서 개별단위적 disaggregative이다. 브로델의 책은 근본적으로 역사적이 아닌 인식론적인 형식화에 기초한다는 점에서, 개념상으로 역사적이 아니라 메타역사적meta-historical이다. 브로델 자신이 말했듯이, 메타역사 뒤에 숨은 충동은 바로 지중해 세계에 대한 자신의 개인적인 연대성, 다시 말해 지중해 세계에 대한 자신의 사랑의 반영이라는 점에서 브로델의 저서는 본적으로 "시적poetic"이다.

　브로델의 책은 고색창연한 영국, 스페인, 포르투갈, 네덜란드의 '제국'사 전통을 단순히 연장한 것이 아니다. 비록 이 전통이 당대에는 매우 혁신적이었고, 적어도 그 정의에 따르면 대서양 전체를 염두에 두고 있었지만 말이다. 이러한 전통에 속하는 대표적인 미국 역사가들인 찰스 M. 앤드루스Chales M. Andrews와 클래런스 해링Clarence Haring은 구체제에서 영국과 스페인의 대서양 제국의 구조와 운영에 대해 거시적 시각으로 상세하게 기술한 저술을 썼다. 그리고 두 사람은 모두 매우 창조적으로 원사료를 활용하는 역사가들이다. 앤드루스는 실제로 런던의 공공기록보존소London's Public Record Office에서 영국 제1제국의 앵글로아메리카 서류들을 처음 발견하였고, 기록들을 분류하고 색인을 만들고 이 기록들을 이용할 수 있도록 하였으며, 후에 그의 수제자가 이를 더욱 발전시켰다. 이와 유사하게 해링은 마드리드와 세비아에서도 새로운 사료들을 발견하고 처음으로 사용하였다. 그러나 앤드루스와 해링은 자신이 대서양 역사를 다룬다고 생각한 적도 없을 뿐만 아니라, 그 용어를 사용한 적도 없었다. 이들은 제국 통치의 공적 구조를 다루었을 뿐, 이 통치 안에서 사는 사람들의 삶을 다룬 것은 아니었고 다만 각 국가의 사건들에만 집중하였다.

'대서양 역사'는 탐험과 발견에 대한 수많은 저술들, 예컨대 모리슨S.E.Morison, 윌리엄 호프하르트William Hovgaard,

프리티오프 난센Fridtjof Nansen, 헨리 해리스Henry Harisse, 박서C.R.Boxer, 베일리 디피Bailey Diffie, 에드가 프레스타크 Edgar Prestage, 올리베이라 마틴J.P. Oliveira Martins, 헨리 비그노Henry Vignaud, 안토니오 피가페타Antonio Pigafetta, 비거H.P.Biggar, 그리고 이들이 추적한 발견의 결과로 드러난 초기 정착민들의 저술로부터 유래한 것도 아니다. 이들은 유럽 인들이 어떻게 새로운 세계를 점차 탐험했는지를 상세히 기술 하였지만 새로운 세계가 어떤 세계였는지는 기술하지 않았다.

제2차 세계대전의 영향으로 제국주의 역사와 탐험 및 발견 의 역사는 연구주제로 크게 성장하고 강화되었지만, 새로운 종 류의 이해를 탐구하는 것보다는 단지 전체적인 풍경을 확대하 는 데만 기여한 것으로 보인다. 제도와 법과 혁명과 생생한 발 견들은 있었지만, 협회나 사회조직이나 지속적인 문화적 만남 은 없었다. 무엇보다 단순히 좀더 많은 정보를 요구하는 질문 들만 있었고 아직 해결되지 않은 중요한 질문들은 없었다. 주 제들의 통합도 없었고, 어떠한 보편적 중요성에 대해 상세하 게 설명하는 개념도 없었다. 거대 서사에서 다만 어떤 요소들 에 대한 개별적인 설명들만 있는 것처럼 보였다.

그때에, 그러니까 제2차 세계대전 동안 그리고 대전 직후에, 상황이 변하기 시작하였다. 변화의 기원이 중요하다. 왜냐하면

역사학계 움직임의 일반적 특징을 제시하기 때문이다. 부분적으로는, 비록 부분적이기는 하지만, 근본적인 충동은 역사 연구 내부에 있지 않고, 외부 다시 말해 역사가들의 인식의 외부 맥락을 형성하는 공적 영역에 있었다. 궁극적인 기원은 1917년으로 거슬러 올라가, 당시 27살로 유럽 전쟁에 대한 미국의 개입을 주장했으며 이미 매우 영향력 있는 기자였던 월터 리프먼Walter Lippmann의 저술에서 찾아볼 수 있다. 1917년 2월에 "리프먼이 썼던 사설 가운데 가장 중요한 사설인"「새로운 공화국The New Republic」에서, 리프먼은 유럽 전쟁에서 미국의 이해관계는 연합국과 함께하며, 조국은 단순히 "대서양 고속도로"를 보호하기 위해 개입할 뿐 아니라, 다음의 사항들을 보호하기 위해 개입해야 한다고 주장했다.

서구 세계를 하나로 묶는 이해관계망을 보호하기 위해 개입해야 한다. 영국, 프랑스, 이탈리아, 심지어 스페인, 벨기에, 네덜란드, 스칸디나비아 국가들과 범아메리카 국가들은 그들의 깊은 필요와 심오한 목적에 있어서 하나의 공동체이다. …… 우리는 굴복함으로써 대서양 공동체를 배신해서는 안 된다. …… 우리가 반드시 싸워야 하는 것은 바로 서구 세계의 공동 이해관계와 대서양 강대국들의 통합을 위해서이다. 우리는 우리가

사실상 하나의 거대한 공동체이며 공동체의 일원으로서 행동
해야 한다는 사실을 인식해야만 한다.

두 달 후에 미국이 전쟁에 개입함으로써 리프먼은 자신의
주장이 정당했음을 입증받았다.[2]

그러나 공식적이고 지속적인 대서양 공동체를 건설하려던
리프먼의 희망은 전쟁 후의 고립주의 정책으로 인해 사그라들
었고, 대공황이라는 국내 혼란 속에서 사라지고 말았다. 그러
나 1917년의 리프먼의 생각들은 잊히지 않았고, 제2차 세계대
전 중에 개입이라는 또 다른 투쟁을 치르면서 먼저는 포레스
트 데이비스Forrest Davis 그리고 그 후에는 리프먼 자신에 의
해 재발견되었다.

리프먼의 동료 기자인 데이비스는, 1941년에 루스벨트와 처
칠의 '대서양 헌장Atlantic Charter'에 대한 단행본 분량의 사
설인 『대서양 체제The Atlantic System』를 출간했는데, 여기
서 영미관계의 역사를 되돌아보고 개입에 찬성하는 리프먼의
주장을 길게 인용했다. 이 책은 "로봇 같은 영웅과 무표정한
인종이 함께 사는 감옥 같은 집으로서의 새로운 세계질서를
세우려는 추축국 독일, 이탈리아, 일본의 청사진"을 비난하고
"대서양 체제는 오래되었고 합리적이며 실용적이다. 서로 우호

적인 자유로운 분위기 속에서 전략적·정치적 현실로부터 유기적으로 성장한 대서양 체제는 미국의 전통 속에 깊고 강하게 뿌리내리고 있다"고 주장하는 매우 정치적인 소책자였다.[3] 2년 후에 리프먼은 세계대전 이후 세계질서라는 문제에 대해 자신이 1917년에 펼쳤던 주장을 선명한 형식으로 적용하면서 논증을 재개했다. 1943년에 쓰였지만 출간이 지연되어 전쟁의 결과가 확연해 보이는 시점에, 다시 말해 D-Day 한 달 뒤에 출간된 『미국 전쟁의 목표U.S. War Aims』라는 글에서, 리프먼은 대전 이후의 새로운 세계질서는 "단 하나의 국가가 아니라 역사적으로 문명화된 공동체인 거대한 지역의 국가들의 연합"이 될 것이며 그렇게 되어야만 한다고 주장하였다. 리프먼의 주장에 따르면, 이들 국가들에게 가장 중요한 것은 섬처럼 서로 분리된 핵심 군사대국들의 '대양 체제oceanic system'인 대서양 공동체가 되리라는 것 혹은 그렇게 되어야만 한다는 것이었다. 물론 대서양 지역 안에서도 국가 간 차이가 존재하지만, 이 차이는 "지중해 서쪽에서 대서양 분지 전체를 아우르는 서구와 라틴 기독교 세계의 연장"인 "동일한 문화 전통 안에서의 다양성"을 말한다.[4]

비록 리프먼이 역사에 대한 일반적 의식에 의존하고 있지만, 데이비스의 저술처럼 리프먼의 저술도 정치적 저술, 다시 말해 자국의 이해를 보호하기 위해 윌슨의 보편주의와 하나의 세계라는 이상주의를 포기한 현실정치Realpolitik 프로그램이다. 전후 세계를 대서양 국가들이 주도하는 지역세력 중심지들의 연합으로 보는 리프먼의 세계관은, 다른 시사해설가들과 정치가들에 의해 인용되었고, 제2차 세계대전 이후에 전개된 대립적인 세계질서에 이용되었다. 1945년 이후 십 년 동안 마샬 플랜, 트루먼 독트린, 그리고 북대서양조약기구가 탄생하였다. 그리고 이 시기에 서구 전체에 걸쳐 대서양 동맹을 지지하는, 서로 역할이 겹치는 비정부 기구들이 지나치게 많이 출현하였다. 프랑스와 영국에서 나타난 분열 압력, 미국 권력기관들의 대외정책 방향을 둘러싼 갈등, 그리고 다시 부활한 고립주의의 위험 때문에, 대서양 공동체의 공고화가 절실히 필요하였다. 1961년에 아메리카의 세 주요 집단들, 다시 말해 대서양 평의회Atlantic Council, 대서양 연구소를 위한 미국 위원회American Committee for the Atlantic Institute, NATO 미국 평의회American Council on NATO는, 전 국무장관인 크리스천 허터Christian Herter와 딘 애치슨Dean Acheson의 지도 아래, 미국 대서양 평의회Atlantic Council of the United States를 구성하고자 다른 집단들과 함께 합류하였다. 이 기구의 명예 회장은 전 대통령인 후버, 트루먼, 아이젠하워였으며,

이 기구의 목적은 "더 위대한 대서양 통일을 이룩하기 위한 필요와 문제들에 대해 의견을 교환하고 생각을 고무하는 교육적 매개체로서 활동"하는 것이었다. "자유세계의 힘을 키우는 데 대서양 협력체가 중요하다고 확신하는 탁월한 개인들"로 구성된 이 평의회는 가능한 모든 방법, 예컨대 책과 팸플릿 출판, 연설과 회의, 그리고 특별히 1963년에 새로 창간한 학회지인 『대서양 공동체 계간지The Atlantic Community Quarterly』를 통해 대중과 접촉하였다.

　편집자에 따르면, 이 『계간지』는 "오늘의 세계에 뭔가 새로운 것이 출현하고 있다는 전제 아래" 창간되었다. 인간은 자신의 존재를 좀더 잘 조직하는 방법을 찾다가 도시국가, 국민국가를 발명했고, 이제는 "좀더 큰 어떤 것이 생겨나고 있다. 대서양 공동체는 대서양의 양안의 국가들이 함께 모여서 활기찬 대화를 나누는 단계에 이미 도달했다." 『계간지』의 목적은 "여러분을 위해서 대서양 공동체 전체를 감독하고 또한 어디서 나눈 것이든 여러분에게 최선의 대화를 전달하는 것"이라고 독자들에게 밝혔다. 이 계간지는 "대서양 공동체는 역사적 필연성이며…… 어떻게든 우리 대다수가 살아 있는 동안에 진정한 대서양 공동체가 나타날 것"이라는 단 하나의 확신을 표명하였다.

『계간지』는 실제로 대서양 공동체를 감시하였다. 매호마다 이 계간지는 대서양 전역의 파워엘리트들—고위 정부관료, 군 지휘관, 은행가, 기업가, 기자, 유명 학자, 지식인, 그리고 모든 종류의 여론 지도층—의 기고문들과 함께, 유럽, 아프리카, 미국에서 나온 모든 연설과 자료, 논쟁과 기자회견문을 발간하거나 재발간하였다. 1호부터 4호까지 계간지 처음 4개 호에 실린 기고문 62개 가운데에는 다음의 저명인사들의 연설과 논문이 있었다. 전 국무장관 허터, 전 미국 대사이자 로이드 은행장 프랭크 경, 캐나다 국무총리 레스터 피어슨, 전 독일 총리 루트비히 에르하르트, 전 독일 외무부장관 게르하르트 슈뢰더, 노르웨이 외무부장관 할바르 랑에, 벨기에 외무부장관이자 전 총리, 전 NATO 사무총장이자 UN 의장이었던 폴앙리 스파크, 드골 장군, 프랑스 대통령 발레리 지스카르 데스탱, 미국 대통령 린든 존슨, 존 F. 케네디와 딘 애치슨, 미국 상원의원 풀브라이트와 재비츠, 브레튼우즈 위원회Bretton Woods Conference의 벨기에 대표인 르네 보엘 남작, 이탈리아 유럽통합운동의 창시자 알티에로 스피넬리, 스위스 일간지 『노이에 취르허 차이퉁Neue Zurcher Zeitung』의 편집장, 일간지 『디 차이트Die Zeit』의 편집장, 월터 리프먼, 소르본 대학의 레몽 아롱, 옥스퍼드 대학의 맥스 벨로프. 그리고 첫 해에 발간된

24개 문헌들에는 유럽통합선언문, 케네디와 드골 대통령의 기자회견문, 교황 칙서, 대서양통합선언문과 미국-스페인 공동의견서가 포함되었다.

『계간지』을 직접 읽는 독자층은 2,000-5,000명 정도의 구독회원들에 불과하였다. 그러나 역사적 · "필연적" 대서양 공동체라는 이상을 증진시키고 그 이상의 실현을 돕기 위한 가장 높은 수준의 국제적인 노력을 반영한다는 점에서 『계간지』는 매우 중요했다. 그리고 미국 대학들에서 대서양 연구 프로그램들을 증진시킴으로써 지도자들의 "차기 세대"가 대서양 공동체라는 이상에 확실하게 헌신하도록 하려는 미국 대서양 평의회의 노력은 실로 지대했다.[5]

따라서 미국과 다른 지역에서 공적 세계는 대서양주의자들의 관점에 대하여 지속적으로 정보를 제공받았다. 그들의 관점은 공공의 분위기에 스며들었고, 좀더 정치적인 인식을 갖춘 역사가들에 의해 공유되고 강화되었다.

이러한 공적 문제들에 가장 먼저 반응한 전문 역사가들은 공산주의의 팽창 위험에 맞서서 기독교, 특히 서구의 기독교를 보호해야 할 필요에 가장 민감한 역사가들이었다. 가장 거침없이 발언한 역사가들은 바로 대서양주의자들의 기본 전제와 취지에 대한 역사 연구의 적절성을 명확하게 이해한 두 명의 대표적인 가톨릭 역사가들이었다.

1945년 3월에 포드햄 대학의 역사학 교수 로스 호프먼Ross Hoffman은 「유럽과 대서양 공동체」라는 광범위한 주제를 다룬 논문을 발표하였다. 이 논문에서 호프먼 교수는 리프먼뿐만 아니라, 스페인의 살바도르 데 마다리아가Salvador de Madariaga와 포르투갈의 안토니오 사라자Antonio Salazar를 인용하면서, 대서양은 "서양 문명의 내해"이며 "대서양 공동체"("모든 측면에서 우리를 감싸고 있는 강력한 지리적 · 역사적 · 정치적 실체")는 "서구 기독교계의 후계자"라고 주장하였다.[6] 이 주제는 1945년에 미국역사학회의 회장인 컬럼비아 대학의 칼튼 J .H. 헤이즈Carlton J. H. Hayes의 유명한 연설에서 조화롭게 다루어졌다.

컬럼비아 대학의 저명하고 영향력 있는 교수이며 탁월한 역사가인 헤이즈는 호프먼처럼 가톨릭 신자로 개종하였고 러시아와 전쟁 동맹이 끝난 시점부터 열렬한 반공주의자가 되었다. 헤이즈 교수는 그리스-로마, 그리고 유대-기독교 전통이라는 공통의 유산에 뿌리박고 있는, 뚜렷하게 구별되는 "유럽 혹은 '서구' 문화"가 있다는 사상을 전개하였다. 최근에 물의를 일으켜 스페인 대사직을 이임하고 돌아온 헤이즈는 "미국의 국경선—어떤 국경선인가?"라는 제목으로 한 미국역사학회 회장 연설에서, 미국 역사가들의 편협한 교구주의와 지나친 미국 예외주의를 공격하고, 동구에서 야금야금 침식해 들어오는 이질적인 사상에 의해 위협받고 있는 미국과 유럽의 역사적 동맹이라는 관점에서 생각할 것을 촉구하였다.

이러한 서구 문화가 공통인 지역은 대서양과, 동쪽으로는 노르웨이와 핀란드에서 케이프타운에 이르는 유럽과 아프리카 해안, 서쪽으로는 캐나다에서 파타고니아에 이르는 전 아메리카 대륙에 이른다.

미국의 문화적·정치적 고립주의 전통을 공공연히 비난하고 인공적인 범아메리카의 근시안적이고 "비현실적인 보편주의"의 동일한 위험을 경고하면서, 헤이즈는 "유럽과 아메리카의 모든 국경에서 전통, 전망과 이해관계의 공동체"를 무시하는 것을 비판했다. 헤이즈는 "우리 미국인은, 대서양 공동체와 이 공동체의 근본이 되는 유럽 문명의 공동 계승자이자 공동 개발자이며, 아마도 미래에 지도자들이 될 것"이라고 썼다. 제1차 세계대전 이후에 미국은 대서양 공동체의 해체를 막지 못했으며 세계는 엄청난 대가를 치러야 했다. 이제 미국은 "대서양 공동체가 확연한 현실이자 현대 세계의 가장 중요한 요소"

가 되었으며 "대서양을 감싸고 있는 국제적 지역 공동체라는 정당한 위치"를 차지해야 한다는 사실을 인식해야 했다.[7]

뛰어난 학자이자 외교관인 헤이즈의 유명한 정치적·학문적 주요 정책 연설은 공공 정책에 대한 논평과 역사적 학식을 모두 보여주었다. 그러나 헤이즈와 호프먼이 다른 사람들보다 더 열심히 하긴 했지만, 당대 대서양주의자들의 분위기를 역사적으로 반영한 유일한 사람들은 아니다. 프레데릭 톨스 Frederick Tolles는 1960년에 저서 『퀘이커교도와 대서양 문화』에 깔려 있는 자신의 생각의 기원에 대해 상기하면서, 다음과 같이 분명하게 전후관계에 대해 설명하였다.

우리는 먼저 제2차 세계대전 동안 전략적 개념으로서 대서양 공동체라는 관념과 친근해졌다. 그러나 문화적 실제로서 대서양 공동체는 17세기와 18세기에 영어권 사람들에게는 거의 매일 경험하는 일상이었다. 역사가는…… 최근에 와서야 대서양 문명을 단일한 단위로 다루기 시작했다.

톨스는 "나는 내 저서의 제목으로 사용한 '대서양 문화'라는 용어가 통용되는 표현인지 아닌지는 아직 잘 모르겠다. 그러나 아직 통용되고 있지 않다면 앞으로 통용되어야 한다. 왜냐하면 우리가 고대 세계의 문명을 지칭할 때 반드시 사용하는 '지중해 문화'라는 용어처럼, '대서양 문화'라는 용어도 내게는 유용하고 필요한 용어인 것 같기 때문이다."[8]

실제로 '대서양'이라는 용어는 예전에 없었던 새로운 의미를 갖게 되었고, 그때 이후로 역사가들 사이에서 통용되기 시작했다. 이 용어는 서로 연결되지 않은 산발적인 역사 연구 여기 저기에서, 특히 전산업시대의 역사에서 쓰이고 있었다. 그리고 대서양이라는 용어가 나타나는 곳 어디에서나, 점차 확산되고 있는 대서양주의자들의 여론, 즉 대서양 세계는 정치적으로나 역사적으로나 단일한 단위라는 여론을 반영하였다. 오늘날 사용하는 대서양이라는 용어는, 이 용어가 없었다면 지역적이고 평범한 사료로 남았을 사료들에 중요한 의미를 부여하여 폭넓고 깊이 있는 개념을 제공하였다.

그리하여 1946년에 영국 역사가 헤일 벨롯H. Hale Bellot은 "대서양 역사"라는 제목의 연설에서, 영국 역사교사들에게 다음과 같이 주장하였다.

미국 역사를 대영제국의 역사 옆에 아무렇게나 놓인 별도의 이야기가 아니라, 유럽과 미국처럼 북대서양을 접하고 있는 지역의 역사에서 통합적이고 필수적인 부분으로, 19세기와 20세기

서유럽 역사를 이해하는 데 꼭 필요한 역사로서 영국 교과과정에 포함시킬 것

왜냐하면 미합중국의 위대한 역사적—경제적 · 정치적 · 인구통계학적—발전은 "미국이 아니라 대서양 현상이기 때문이다. 기존의 정착한 지역과, 정착민과 주요 자원을 제공한 지역 사이의 경계는 미합중국의 정치적 국경인 대서양 해변이 아니라, 대서양 분지의 분수선인 아파라치 산맥Appalachian range"이기 때문이라고 벨롯은 설명했다.[9]

이듬해인 1947년에 유명한 프랑스 혁명사가이며 툴루즈 대학의 역사학 교수인 자크 고드쇼Jacques Godechot는 나머지 생애를 다 바칠 주제를 향해 불확실한 첫 발걸음을 내딛었다. 프랑스 해군사관학교에서 가르칠 때 저술한 『대서양 역사』의 빛나는 서문에서, 그는 대서양을 "경계표가 없는 어마어마한 벌판, 거대한 황무지, 불로不老의 사막"이라고 언급하였다. 그러나 다른 한편으로는 평화로운 시절에는 엄청난 부가 흐르고 전시에는 엄청난 전투로 점철된 "길고도 무거운 역사"를 가진 지역이라고도 하였다. 대지의 역사처럼, 해양의 역사도 현대 기술로 인해 탈바꿈하였다. "그러므로 대서양 역사를 쓰는 것은 불합리한 일이 아니다." 왜냐하면 대서양 역사는 대서

양 동쪽의 모든 역사까지 특히 근대 프랑스의 역사를 조명하기 때문이다. 고드쇼는 책 말미에 「대서양 문명을 향하여」라는 제목의 결론에 이르기까지 서문에서 시작한 주제를 지속하였다. 그러나 상상력이 풍부한 구성틀에도 불구하고, 본질적으로 고드쇼의 저술은 해양의 역사, 특히 기원전 600년부터 1946년까지 프랑스 해군의 역사에 대한 편협한 설명에 머물렀다. 이렇게 광범위한 조사를 위한 전문연구가 부족하였기 때문에, 파킨슨C. N. Parkinson은 고드쇼의 책에 대한 몇 안 되는 서평 중 하나에서 아직 고드쇼의 노력은 "미숙하다"고 썼다. 게다가 파킨슨은 고드쇼가 이미 존재하는 많은 연구들을 모르고 있었고, "그의 결론은 종종 잘못되었다"고 지적하였다.[10]

그러나 비록 고드쇼가 열정을 "잘못 적용하였다"고 하더라도, 고드쇼는 다른 학자들이 서로 다른 방식으로 서로 다른 공간에서 서로 다른 이유로 그리고 서로 다른 관점으로 제각기 연구하기 시작한 이 주제를 일찌감치 발견하고는, 머뭇거리면서 간략하고 수사적인 방식으로 다루긴 했으나 여하튼 다루기 시작하였다. 우연의 일치는 때때로 놀랄 만하다. 1948년에 벨기에 왕당파 자크 피렌느Jacques Pirenne는 스위스의 뇌샤텔에서 출간한 『보편사의 큰 흐름Grands Courants de l'Histoire Universelle』 제3권에 "대서양은 서양 문명이 발전한 내해를 형성한다"라는 절을 포함하였다. 몇 달 후에, 뉴욕시립대학의 마이클 크라우스Michael Kraus는 『대서양 문명: 18세기의 기원들Atlantic Civilization: Eighteenth-Century Origins』이라는 저서에서 피렌느와 같은 생각을 전개했다. 여기서 크라우스 교수는 문학사료에 근거하여 북아메리카가 유럽의 경제 성장을 촉진했으며 유럽의 계급관계를 좀더 유연하게 만들었고, 유럽의 시인, 철학자, 예술가와 과학자들의 상상력을 자극했다고 주장하였다. 그는 신세계와 구세계가 합작한 결과 건설된 대서양 문명은 "세계사에서 가장 괄목할 만한 발전 중의 하나"라고 결론지었다.

이듬해인 1950년에는 다른 수준을 제시하는 선언들이 총총히 나타났다. 포르투갈에서 고디뉴V. M. Godinho는 실제로는 포르투갈과 브라질의 설탕 무역을 집중 분석하였지만 「대서양 경제의 문제점들」이라는 보편적 제목을 붙인 논문을 발표하였다. 고디뉴는 곧 포르투갈 제국의 경제에 대한 개설서를 출간할 예정이었다. 동시에 취리히 대학의 막스 실버슈미트Max Silberschmidt도 역사과학 국제학술대회에서 「대서양 공공사회Die Atlantische Gemeinschaft」라는 제목의 논문을 발표하였다. 이 논문에서 실버슈미트 교수는 19세기에 자국의 부만을 추구하던 유럽 국가들의 지배권이 두 차례의 세계대전을 거치면서 엄청난 강대국인 미국으로 넘어갔으며, 이 과정에서 유럽이 범대서양 공동체에 통합되었다는 사실을 인식해야 한다고 역사가들에게 강조하였다. 3년 후인 1953년에는 피에르와 위게트 쇼뉘Pierre and Huguette Chaunu 부부가 1955년에서 1959년 사이에 11권으로 발간될 방대한 규모의 통계 연구인 『세비야와 대서양Séville et l'Atlantique』의 내용을 요약한 소논문인 「대서양 경제, 세계 경제」를 발표하였다. 비록 "대서양"이 쇼뉘 부부에게 해링 교수가 『스페인과 인도제국 사이의 무역과 항해』(1918)에서 다룬 것과 별로 다르지 않은 현상들을 묘사하는 친근하고 편리한 용어였다고 하더라도, 쇼뉘 부부의 언어는 좀더 고상하며 좀더 함축적으로 다른 차원의 생각을 제시하였다. 루시앙 페브르Lucien Febvre는 쇼뉘 부부의 저술에 쓴 서문에서, 피에르 쇼뉘가 아날학파의 전형적 형식으로 설명한 구절인 "대서양 공간의 '구조들'과 '콩종튀르들'"〔콩종튀르는 본래 주기변동을 뜻하는 단어이지만, 아날학파에서는 50년에서 200년을 주기로 하여 변하는 구조를 의미함〕을, "대서양 공간"으로 설명하면서 그 함축된 의미들을 파악하였다.[11]

그러나 대서양주의에 대한 인식이 높아지면서, 그 무렵 다른 지적 영역에서 옮겨온 역사학자들은 보편적인 일반화 작업을 처음으로 시도하고 있었다. 거의 같은 시기에 벨기에의 헨트, 프랑스의 툴루즈, 미국 프린스턴 대학, 그리고 파리의 유네스코 본부에서 이 주제를 직접 다룬 성명서들이 나왔다. 최초의 공식화된 문서는 벨기에의 중세학자이며 경제사가인 샤를 베르렝당Charles Verlinden이 3개 국어를 사용하는 『세계사 학회지Journal of World History』의 1호(1953)에 발표한 논문이었다. 오랜 기간 동안 중세 유럽의 노예제와 해외 무역을 연구한 학자인 베르렝당 교수는 「대서양 문명의 식민지 기원」이라는 논문에서 다음과 같이 선언하였다.

대서양 문명이 오늘날 존재한다는 것과, 서유럽의 국가들 그리고 두 개의 아메리카와 남아프리카가 대서양 문명에 점점 더 완벽하게 통합되고 있다는 것은 명백한 사실이다. 사상, 제도, 단체, 조직의 형태 그리고 동일한 근원을 가진 작업들에 기반을 두고 자양분을 섭취한 이 문명은 점차 현시대의 새로운 지중해, 즉 대서양의 두 해안에서 발전해왔다.

지성사 전문가들은 대서양 문명의 기원들을 18세기에서 찾았다. 그러나 제도적 · 경제적 · 사회적 · 행정적인 기반과 앞선 세기인 중세의 서유럽에서 탄생한 전례들이 없었다면, 좀더 넓은 의미의 문화적 관계는 대서양 세계에서 발전할 수 없었을 것이다. 부연하자면, 중세 후반 지중해 세계의 특정한 식민지 발전과 16, 17세기 대서양 지역의 거대한 식민지 산업 사이에는 연속성이 존재한다.

이런 까닭에 베르렝당은 '대서양 문명'의 기원들과 이어지는 연속성에 대한 개요를 제시하였다.[12]

베르렝당의 「대서양 문명의 식민지 기원」은 사실상 학문과 공공정책 모두에서 다양한 가능성을 보여주었으며 중대한 역사적 질문들을 제시한 한편의 "에세이", 즉 하나의 탐사침이요, 테스트요, 추측에 따른 관점이요, 새로운 전망이었다. 매우 다른 사회경제적 토대 위에서 오직 공통의 종교만으로 통일된 것처럼 보이는 이슬람과 불교 세계와는 반대로, '대서양 문명'은 공통의 경제 및 제도적 구조와 문화생활의 통합적 결합이라는 점에서 독특하지 않은가? 대서양 문명은 내해를 둘러싼 형태에서 특이하지 않은가? 육로를 통한 연결과 다르게, 해로를 통한 식민화는 독특한 정치세계를 가능하게 하지 않았는가? 베르렝당은 이러한 질문들이 유네스코의 후원 아래 개최될 국제학술회의에서 생각해볼 수 있는 질문들이며 그 결과 미래의 정치가들이 큰 실수를 하지 않도록 도와줄 수 있다고 주장하였다.

베르렝당은 유네스코의 후원으로 자신의 최근 관심과 관련된 프로젝트에 이미 개입하고 있었기 때문에, 유네스코에 대해 쉽게 언급한 것이 틀림없다. 1953년에 베르렝당은 유네스코를 위해 "구세계와 신세계의 문화적 관계에 관한 연구"라는 프로그램을 시작하였다. "유럽과 아메리카 대륙의 여러 나라에서 온 작가, 철학자, 예술가, 교육가, 역사가, 사회학자들"이 참석한 두 번의 국제회의가 상파울루와 제네바에서 "구세계와 신세계 사이의 지적·도덕적 연대를 강화하기 위한 최선의 방식을 찾기 위하여" 열렸다. 베르렝당에 따르면, 수년 전에 국제연맹은 유럽과 라틴아메리카 사이의 관계에 대한 학술회의를 후원하였다. 그러나 "토론이 열매를 맺기에는" 제기된 문제들이 무르익지 않은 상황이었다. "다행히도, 구세계와 신세계의 사람들은 오늘날 상호 이해관계와 상호 관계에 대해 더욱 많이 인식하고 있으며 이러한 관계를 객관적으로 이해할 준비가 좀 더 잘 되었다." 시기적절하게 두 번의 국제회의가 열렸고, 그 결과는 한 권의 책 『새로운 세계와 유럽Le Nouveau Monde et l'Europe』(Neuchâtel, 1955)으로 출간되었다. 이 책에는 루시앙 페브르, 조르주 보아George Boas, 앙드레 모루아André Maurois, 막스 실버슈미트, 리처드 맥케온Richard McKeon, 체슬로 밀로츠Czeslaw Milosz, 장 발Jean Wahl, 알렉산드르

코이레Alexandre Koyré, 조르주 바타유Georges Bataille, 마그너스 뫼르너Magnus Mörner와 같은 저명인사들과 저명한 라틴아메리카 학자들의 글과 토론 내용이 실렸다.[13]

　베르렝당 자신은 이 국제회의에 직접 참석하지는 않았지만, 대서양 역사와 특별히 관련이 있는 1950년대 초반의 또 다른 국제 역사 프로젝트의 핵심인물이었다. 1947년에 펜실베니아 대학의 라틴아메리카 학자인 아서 휘테이커Arthur Whitaker 의 제안으로, 범아메리카 지리역사 연구소the Panamerican Institute of Geography and History의 역사위원회는 베르렝당을 포함한 국제적인 역사학자 집단을 끌어들였다. 멕시코 역사학자인 실비오 자발라Silvio Zavala가 이끄는 이 집단은 서반구의 역사에 대하여 여러 권의 연속간행물과 모든 주제를 총망라하는 3권의 전집을 간행하기로 하였다. 아메리카 대륙은 공통된 역사라는 관점에서 이해되어야 한다고 주장한 허버트 볼튼Herbert Bolton의 「더욱 위대한 아메리카의 서사시」의 유명한 논쟁에서 부분적으로 영감을 얻어서, 그리고 범아메리카 정치적 이해관계에 부응하여, 역사위원회의 "아메리카 역사 프로그램"은 1950년대 10년을 모두 아울렀으며 1962년에는 지정된 상세한 연구서들과 세 권의 전집(멕시코의 페드로 아르밀라Pedro Armillas는 식민지 이전 시대, 멕시코의 자발라는 식민지 시대, 그리고 미국의 찰스 그리핀Charles Griffin은 민족주의 시대를 담당)을 출간하였다. 펜실베니아 대학의 사학과 교수인 로이 니콜스Roy Nichols는 이 연구계획을 대규모 역사에서 영웅적인 노력과 "광대한 계획과⋯⋯ 엄청난 기술과 노력의 집중"이 낳은 위업이라고 치하하였다. 식민지 시대에 대한 자발라의 두 권의 전집만으로도 "엄청난 노력의 열매⋯⋯ 고도의 통찰력과 이해와 방대한 규모의 참고문헌 목록"으로 여겨졌다.[14]

이러한 종합적인 역사작업이 모든 계층의 미국인에게 인식되고 아메리카 대륙과 유럽 대륙의 중등학교와 대학교에서 영구적인 역사교육이 되기를 바라는 커다란 기대가 있었다. 그러나 한편으로 북부와 남부(앵글로아메리카와 라틴아메리카)의 차이가 유사점들보다 더 명확하게 나타나며 다른 한편으로 공저자들이 너무 많고 주제와 미래에 대한 방법론에 있어서 명확한 주장이 없기 때문에 기저에 깔려 있는 개념이 비판을 받았으며, 그보다는 주로 유럽으로부터 서반구를 분리하는 것이 비현실적이라는 이유 때문에 비판을 받았다. 존 패리John Parry는 "아메리카와 유럽의 상호작용은 아메리카의 한 나라와 다른 나라 사이의 상호작용보다 훨씬 지속적이고 더 중요하다. ⋯⋯ 많은 아마도 대부분의 식민지는 이웃의 운명에 크게 영향받지 않은 채로 자신의 삶을 살며 자신의 역사를 살았다"며 정중하지만 예리하게 비판하였다. 베르렝당은 유럽의 관계들이 결정적이라는 점을 역설했다. 라틴아메리카는 "유럽에서 유래한 것이 분명한 문화와 특징을 갖춘 일종의 유럽의 확장이다. …… 유럽인들의 막대한 기여 덕분에 두 대륙으로 이루어진 아메리카는…… 아프리카와 운명적으로 엮이고 대서양 특유의 인구구성을 갖춘…… 새로운 유럽이 되었다"고 베르렝당은 1966년에 썼다. 그리고 베르렝당은 같은 해에 출간한 이야기체 교과서인 『대서양 문명의 기원들』에서, "대서양 유럽, 두 개의 아메리카와 아프리카"의 호혜적 관계를 강조하고, 아울러 토착민들이 문화변용acculturation을 통해 단일한 거대 문화영역을 형성한 점과 식민사회들이 새로운 자연환경과 인간환경에 점진적으로 적응한 점을 강조하면서, "대서양 지역과 세계의 발전에서 대서양 지역의 중요성"을 고려할 것을 제안하였다.

자발라는 "이중 초점dual focus"을 제안하고 "현상의 복잡성을 깨닫기 위한 판단의 유연성"을 주장하면서, 이 쟁점을 해소하기 위해 노력하였다. 그러나 이 문제는 "신세계 역사의 통일성 또는 다양성"을 넘어 범대서양 관계라는 좀더 깊은 논쟁으로 발전하였다. 1964년에 루이스 행크Lewis Hanke는 볼튼의 명제와 아메리카 역사 프로그램에 대한 일련의 논문들을 편집하였고, 범아메리카 역사를 세우려는 많은 노력들이 "상대적으로 영향력이 적었다"고 결론내렸다. 그리고 찰스 깁슨 Charles Gibson이 썼듯이, 그 결과는 "이 계획을 지지했던 이들이…… 열광적으로 예언했던 명쾌한 외침과는 거리가 멀었다."[15]

대서양 역사라는 개념을 포괄적으로 개념화하려는 직접적 시도가 처음 발표된 것은, 대서양 문명의 식민지 기원들에 대한 베르렝당의 논문이 발표되고 2년이 지나 서반구의 노력이 한창 진행되고 있을 때였다. 이 개념에 강한 흥미를 느낀 두 역사가의 놀랄 만한 공동 노력 덕분이었다.

1954-55년에 고드쇼는 프린스턴 대학의 방문연구원이었다. 방문 기간에 고드쇼는 로버트 팔머Robert Palmer 교수와 협력하였다. 팔머 교수는 고드쇼의 『대서양 역사』를 기억해 그를 초청하였고, 18세기 혁명운동을 "대서양 문명에 대체로 공통적인" 현상으로 파악한 두 개의 논문을 막 발표한 참이었다. 팔머는 저술에서 혁명적 목표와 공감은 "유럽과 아메리카에 걸쳐 존재하였으며…… 프랑스에서 모방한 것이 아니다"라고 주장하였다. 보편적인 혁명의 요동이 "지역적이고 고유하고 특정한 원인에서 벗어나" 서구 세계의 모든 곳에서 발생하였

다. 이러한 팔머의 주장들과 고드쇼가 일찍이 『대서양 역사』에서 밝힌 주장들을 가지고, 팔머와 고드쇼는 로마에서 열린 제10차 국제역사학대회에서 발표할 「대서양의 문제Le Problème de l'Atlantique」라는 논문을 함께 집필하였다.[16]

대서양 역사라는 주제를 제창한 신문기자들과 역사가들과 대서양 헌장의 정책에 대해 적절하게 감사를 표한 후에, 팔머와 고드쇼는 62쪽에 걸친 논문에서 대서양 문명의 개념과 연결지을 수 있는 역사적이고 현대적인 모든 주제들을 폭넓게 섭렵하였다. 팔머와 고드쇼의 포괄적이고 박식한 탐구는 도전적인 질문들을 제기했다. 브로델의 지중해처럼, 대서양은 "주위에 새로운 문명을 서서히 형성한 분지, 즉 **대서양 문명**이 되지 않았던가? …… 장벽인가 결속인가, 바로 이것이 대서양의 문제이다." 과거에 **단일한** 대서양 문명이 있었는가? 그리고 만약 있었다면 이후에 여러 문명들로 갈라졌는가? 라틴아메리카와 영국령 아메리카는 유럽과 함께 "대서양 삼각형"의 두 변을 형성하였으며 계몽주의 시대에 와서야 비로소 이념과 가치에서 일정한 통일성을 갖게 되었다고 생각한 아서 휘테이커의 주장은 옳지 않은가? 더욱이 서반구에서 유럽의 영향으로 대서양 세계가 형성되었다면, 두 번에 걸친 세계대전 이후에 유럽의 약화는 1492년에 이미 시작된 "아메리카 역사의 첫 위대한 시대"의 종말을 의미하는 것이 아닐까?

8개의 절로 구성된 고드쇼와 팔머의 답변이 끝난 뒤, 대양의 역사는 대양을 둘러싼 육지의 역사를 포함한다는 브로델의 영감 넘치는 개념에 대한 토론이 이어졌다. 이렇게 시작한 저자들은 대양 간 노선과 교통의 "침투성", 잉글랜드의 대서양 지배, 그리고 캐나다, 영국, 미합중국의 북대서양 삼각형, 대서양 분지의 상업의 역사로 논의를 옮겨갔다. 그런 뒤에 단일한 대서양 문명이 있었는지 아니면 여러 개의 대서양 문명이 있었는지에 대한 논의로 되돌아갔다. 동양과 서양을 비교한다면, 분명히 단일한 대서양 문명이 존재하였다고 저자들은 썼다. 왜냐하면 대서양 세계의 문명은 내부의 모든 차이들에도 불구하고, 그 기반에 유대-기독교, 로마법 그리고 그리스의 이성이라는 "지배적인 이념idées maîtresses"을 간직해왔다는 것이 분명하기 때문이다.

대서양 세계의 문명은 구대륙의 동양 문명보다 더욱 진보적이고 더욱 동적인 사회를 건설할 수 있었다. 대서양 문명은 자유와 각 개인의 완전성, 정의의 표현으로서 법 개념, 법에서 정의하고 한정한 합법적 권력 개념에 계속해서 최상의 가치를 두었다. 이 문명은 관습을 수동적으로 따르고 강제적으로 복종하는 일에서 더더욱 멀어지고 있다.

저자들은 대서양 문명이 정체되거나 획일적이고 자유가 없던 적이 아직 없었다고 주장하였으며, 18세기 이후 발전해온 대서양 역사 안에서 여러 다양한 문제들과 변이들을 이런저런 방법으로 탐사하는 최근의 역사서술을 조사하였다. 인류학자들이 정의한 '문명'이라는 용어의 모호함을 검토한 후에, 이들이 내린 결론은 아메리카와 유럽은 18세기 혁명의 시대에 긴밀히 연합하였으나 그때 이후로는 공통 문화가 있었음에도 서로 개별적으로 발전하였다는 것이다.

만약 경제 분야에서 미합중국과 유럽의 불균형이 줄어든다면, 만약 라틴아메리카의 가난이 줄어든다면, 만약 유럽이 계속 성장한다면, 만약 소련이 계속 고립되어 있다면, 만약 위대한 아시아 문명이 민족주의와 서구에 대한 적대적 경향을 발전시킨다면, 미래는 일변할 것이고 대서양의 외교 동맹만이 아니라 서구 문명 혹은 대서양 문명도 발전할 것이다.[17]

전반적으로는 교훈적이고 학문적이지만 부분적으로는 여전히 정치적이고 이데올로기적이었으며 또한 새로운 발견을 해냈다는 분위기를 물씬 풍긴 고드쇼와 팔머의 논문은 국제역사학대회에서 팔머가 나중에 "놀라울 정도로 냉담한 응대"라고 부르게 될 응대를 받았다. 실제로 반응은 신랄하고 시끄러웠다. 하버드 대학의 한 교수는 대서양 역사라는 개념은 우선 자신이 시작한 것이라고 선언한 후에, 고드쇼와 팔머가 영공領空의 침투성을 미리 고려하지 못했다고 비판하였다. 한 영국인 역사가는 "눈높이를 높여서 철학자들의 안경을 쓰라고 요구받았다"는 데에 몹시 분개했다고 말했다. 다른 이는 "오늘날 압도적으로 중요한" 대서양 공동체라는 개념은 소련의 정책에 대한 임시 대응이었으며 바뀔 수 있는 개념이라고 선언하였다. 또 다른 이는 "대서양 공동체라는 개념은 하나의 세계를 향한 단계에 불과하다"고 선언하였다. 한 폴란드 대표는 워싱턴의 흉상이 바르샤바의 왕궁에 세워졌으며 폴란드인은 미국 혁명 안에서 싸웠으며 프랑스 혁명과 가장 활발하게 연합하였다고 지적하면서, 서유럽과 동유럽 사이에 어떠한 중요한 차이도 거부하였다. 그리고 한 마르크스주의 역사가는 저자들의 서구 문명의 정의가 애매모호하고 제멋대로라고 조롱한 후에(서구 문명을 "마녀들이 조직적으로 박해당하고 화형당한……(웃음)" 세계라고 정의할 수도 있다), 저자들의 논문이 지난 수 세기에 걸친 근본적인 사회경제적 발전을 간과했다고 지적하고, 아메리카와 서유럽은 자유를 향해 발전했지만 동양은 발전하지 못했다는 주장을 거부하였다.

고드쇼는 자신과 팔머가 대서양 문명의 존재를 단호하게 확언한 것이 아니라 단지 그 존재의 문제, 즉 시간만이 답변해줄 질문을 제기하였을 뿐이라고 장황하게 답변하였고, 이 논문이 불러일으킨 열정적인 반응들이 논문이 제기한 질문이 유용했다는 것을 증명한다고 결론지었다.[18]

팔머는 고드쇼보다 덜 만족스럽고 덜 너그러웠다. 35년 후에, 팔머는 당시의 반응을 "영국의 한 유명한 외교사 학자는 그러한 주제는 없다고 말했다. 그리고 나서 나중에 유명해진 한 젊은 영국 마르크스주의 역사학자는 이러한 주제가 미래 학회에서 다시는 제기되지 않기를 바란다고 말했다. 우리는 당시에 그리고 나중에도 북대서양조약기구와 대서양 공동체라는 최신 개념을 옹호한다는 이유로 비판받았다"고 기억하였다. 그리고 1955년의 논문을 서막으로 하여 이후에 두 저자의 대작들이 출간되었을 때도 반응은 계속 냉랭하였다. 1956년에 두 권으로 발간된 고드쇼의 『위대한 국가La Grande Nation』는 프랑스 혁명과 그 이념이 유럽 전역에 그리고 부차적으로 아메리카에서 어떻게 확산되었는지(이 주제는 고드쇼가 훗날 1965년에 출간한 책 『18세기의 프랑스와 대서양 혁명』에서 발전

시켰다)를 추적하였다. 팔머의 훨씬 더 야심 찬 『민주 혁명의
시대』(2권, 1959, 1964)는 직접적으로 미국 혁명을 이전보다
훨씬 더 큰 그림으로 그렸으며, 미국 혁명이 전체 대서양 현상
에서 핵심적인 역할을 한 것으로 묘사했다. 팔머의 저술은 상
상력이 풍부하고 탁월한 대규모 작업이었지만, 팔머는 "반응
은 대체로 부정적이었다"고 말했다.

마르크스주의뿐만 아니라 프랑스 국민의 일부 자아상도 훼손
당했다. 그들은 우리가 프랑스 혁명을 특별할 것 없는 일반적
인 국제적 소란으로 희석함으로써 프랑스 혁명의 중요성과 특
수성을 평가절하했다고 생각하였다. 이후로 고드쇼와 나는, 고
드쇼가 나보다 더 자주 사용했던 용어인 대서양 혁명이라고 불
리는 어떤 것의 발의자들 혹은 사실상 유일한 발의자들로 짝지
어졌다.[19]

팔머는 계속해서 대서양 혁명 명제의 비판자들에게 반박하
였다. 그러나 팔머의 프랑스 혁명관이 무시당하거나 알베르
소불을 비롯한 혁명사가들의 혁명관에 흡수되었을지라도, 팔
머와 고드쇼의 실험, 다시 말해 특히 18세기 후반의 대서양
세계를 하나의 공동체로 곰곰이 생각하도록 만드는 스케치는

점차 그 실질적 중요성과 확신을 획득하였다. 왜냐하면 팔머와 고드쇼의 관점은 비록 결론에도 이르지 못하고 불확실하며 전쟁 직후의 정치이데올로기적 관심과 불편할 정도로 가깝기는 했지만, 추상적이거나 연역적인 방식이 아니라 사료 연구에 입각하여 경험적인 방식으로 발전시킨 관점이었기 때문이다. 그들의 책은 역사가들이 학자 세계 외부와 공공영역을 염두에 두고 사고하는 것과 학문 내부의 추진력, 즉 역사 탐구의 내적 논리가 합쳐지기 시작했음을 알리는 사건이었다.

II

학문 세계에는 그 자체의 내적 역학이 있다. 학문 그 자체를 성취한다는 목적 외에 다른 목적은 없는 연구에서, 다시 말해 연구 그 자체보다 더 결정적인 어떤 것을 반영하는 부수적 현상이 결코 아닌 연구에서, 특정한 주제들을 귀납적으로 정교하게 다듬는 작업은 독립적 창조력이다. 그러나 제아무리 환경을 반영하거나 사회적 압력이나 보상에 반응한다 할지라도, 연구에는 흔히 변증법적인 그 자체의 고유한 논리와 자연스러운 순서가 있다. 갑작스레 나타나는 독창적인 발견과 해석에 힘입어 앞으로 나아가는 진화 과정이 있다. 그 당시에는 학문의 논리와 내부의 충동이 하나의 대서양 공동체라는 개념에 초점을 맞춘 전후 정치적 전망의 후원을 받고 또한 이 전망과 조화를 이루는 방향으로 나아가고 있었다. 이것은 좀더 일반적인 발전의 한 부분이었다. 학문세계가 엄청나게 팽창하고 학자들 사이의 국제적 의사소통과 상호작용이 전례가 없을 정도로 팽창하던 시대에, 몇몇 영역에서 역사 연구가 풍성해지고 탐구가 추진력을 얻으면서, 애초에 연구가 시작되었던 전통적인 단위보다 논의의 기본적인 차원이 훨씬 커졌고, 그에 따라 전망을 재조정할 필요가 있었다. 단순히 학문 자체의 힘에 의하여, 내가 시간을 통하여 발전하는 대규모 우주궤도라고 불렀던 것이 예전에는 보이지 않았지만 이제 보이게 되었고, 자체 내에서 분파와 파생의 형태를 띠게 되었다.[20] 이러한 연구 팽창의 대표적인 중심지가 바로 대서양 역사 영역이다.

1950년대가 지나가기 전에, 피에르 쇼뉘는 위게트 쇼뉘와 함께 『세비야와 대서양』이라는 제목으로 출간한 책에서 7권의 통계자료(3,880쪽)에 대한 4권 분량의 해석을 홀로 내놓으면서, 단순히 세비야의 대서양 무역을 모든 측면에서 관찰하는 것이 아니라 "대양의 역사"를 찬찬히 관찰하는 쪽으로 옮겨갔다. 산처럼 쌓인 어머어마한 사료와 통계를 분석하면서, 쇼뉘는 책에서 대서양이—브로델의 내해, 즉 지중해와 반대로—"

정기적으로 서로 교차한 최초의 대양이었으며, 경제의 한가운데에서 하나의 문명, 다양하고 복합적이지만 근본적으로는 하나인 문명을 최초로 발견"한 대양이었다고 서술하였다. 쇼뉘는 이베로-대서양 문명에 대한 4권 분량의 해석을 프랑스 아날학파의 용어인 "구조와 콩종튀르structures et conjonctures"로 조직하였다. 먼저 첫 두 권 분량에서 구성요소들을 그리고 나머지 두 권 분량에서 사물의 움직임, 즉 변화, 변수, 경사도 gradient, 그리고 속도에 대하여 소개하였다. 그 결과는 스페인이 패권을 잡고 있던 시절 무역권의 역사와 두 대륙의 상호작용과 두 대륙의 "군도들"(동부와 서부의 동떨어진 섬들)에 대한 개입만 다룬 것이 아니라, 이베로-아메리카 세계 전체를 다룬 거대한 파노라마였다. 한 비평가는 쇼뉘의 작업이 확실히 장황하고 이야기가 길며 반복적이지만(때로는 전체 개요가 엄청난 양의 세부묘사로 길을 잃어버렸지만) 저술의 전체적인 결과는 한마디로 "압도적overwhelming"(스페인어로 aplastante)이라고 말했다. 해링도 쇼뉘와 동일한 연구 영역의 일부를 다루었지만, 쇼뉘와 같은 "넓은 시야, 방대한 학식, 원숙한 사고"는 없었다. 쇼뉘는 주제를 "무한히 더 높은 수준"으로 올려놓았으며 "현실을 새롭고 얻을 것이 아주 많은 시선으로 바라볼 수 있도록 했다."[21]

쇼뉘가 거대한 업적을 완성하는 동안에, 역사학의 다른 중요한 집단은 제2차 세계대전 이후 30년 동안 하나의 통일성 있는 대서양 세계라는 역사적 개념에 실질적 세부내용을 덧붙였다. 1950년대에 프랑스에서 시작하여 잉글랜드, 미합중국 그리고 다른 곳으로 퍼져나간 인구사의 발전은 대서양 연구에 새롭고도 깊은 차원을 더하여준 인구이동 연구로 자연스럽게 옮겨갔다.

그리하여 대서양 노예무역은 오랫동안 주요한 역사적 관심사였지만, 1969년 필립 커틴Philip Curtin의 『대서양 노예무역: 인구조사The Atlantic Slave Trade: A Census』의 출간과 함께 새롭게 중요성을 갖게 되었다. 히스패닉, 영국 그리고 프랑스의 노예무역에서 쓰인 인쇄된 표에 대한 커틴의 독창적인 연구는 본래 1953년 박사논문을 바탕으로 쓴 19세기 자메이카에 대한 초기 저작(1955)에서 시작하였다. 영국 역사학자 커틴은 이 저작에서 자신이 남대서양 체제("자메이카가 속해 있었던 지역의 경제적·정치적·사회적 체제")라고 부른 것을 발견하였을 뿐만 아니라, 이 섬나라 자메이카에서 서로 엮여 있지만 구별되는 두 개의 문화와 경제(아프리카와 유럽의)도 발견하였다. 이 두 문화와 경제 간의 긴장은 갑작스레 터져 나왔고 결국에는 몰락으로 이어졌다. 이후 커틴의 연구는 자메이카 문화의 아프리카적 근원, 자메이카 섬의 노예 인구의 지리적 기원과 노예들의 숫자와 조건에 대한 질문들로 더욱 깊어지고 확장되었다. 커틴은 영국 역사가들의 자료와 개념 못지않게 아프리카 인류학자들의 자료와 개념에도 관심을 기울였고, 또한 유행병학과 통계학의 문제들도 탐구했으며, 이 모든 것은 커틴이 독창적인 노예무역 인구조사 책을 쓰는 데 포함되었다. 이 저서 이후에 아프리카인의 디아스포라[diaspora, 국외이주를 뜻함]에 대한 좀더 넓고 확장된 연구와 관련된 저술들이 늘어났다. 특히 『아프리카의 이미지Image of Africa』, 노예들의 이야기 모음, 역병에 관한 연구, 세네감비아[세네갈 강과 감비아 강 사이의 지역]에 대한 연구서들이 중요하다. 이 모든 저술은 노예무역과 노예제도에 대한 정교한 연구를 점점 더 많이 발표하도록 자극했고, '대서양 체제'가 등장하도록 고무했다.[22] 점점 늘어나던 노예무역에 대한 저술들은 1999년에 4명의 역사가들(영국, 캐나다, 미국)의 공동작업으로 자료들을 컴퓨터로 집적한 『범대서양 노예무역Trans-Atlantic Slave Trade』의 출간에서 절정에 이르렀다. 이들은 스페인, 포르투갈, 네덜란드, 영국과 북아메리카의 전체 추산 항해의 3분의 2에 달하는 2만 7,000번의 노예 항해와 관련된 엄청난 정보들을 컴퓨터로 검색이 가능한 형태로 체계적으로 배열하는 작업을 완성하였다. 자메이카에 대한 커틴의 초기 저술과 그로부터 44년 뒤에 체계화된 방대한 데이터베이스 간의 연관성은 대서양 역사라는 주제가 중요하다는 것이 점점 명확해지면서 그에 따른 학문의 창조적 추동력에 대응하여 자연스레 유기적으로 높아졌다. 이 데이터베이스에는 아프리카, 유럽, 아메리카를 잇는 비극적 연결망, 곧 대서양 역사의 인간적 파노라마가 담겨 있다.[23]

같은 시기에 대서양 세계의 인구사는 다른 방향들로 팽창하였다. 북아메리카에서 인구사 연구는 특정한 인종집단의 이주와 이주민 정착지의 사회구조에 관한 연구라는 형태를 갖추었다. 히스패닉Hispanic 아메리카에서 인구사는 주로 원주민 집단의 최초 크기, 성격과 갑작스런 쇠퇴, 유럽인의 범대서양 이주, 그리고 아프리카인들을 강제로 이주시키는 일에 관여하고 있던 유럽과 아메리카가 만난 결과로 생겨난 복잡한 사회체제에 집중하였다. 북아메리카와 남아메리카 모두에서 지식은 논리적으로 팽창하였으며 갑작스런 컴퓨터 도입, 인구사학자들의 새로운 통계기술 채택과 사회인류학자들의 개념들에 힘입어 더욱 확대되었다.

영국령 아메리카에서는 조상숭배, 인종적 자부심과 계보에 대한 관심이 높아서, 범대서양 이주자들과 그들의 출신, 가문과 집단 정체성, 종교적 기구와 실천, 그리고 관습과 생활방식과 관련해 무질서하게 여기저기 흩어져 있던 자료들을 오래전부터 수집해오고 있었다. 부상하는 신세계[New World, 다시 말해 남북아메리카 대륙] 사회에 대한 폭넓은 관점이 점점 더 명확해지면서, 이 모든 사회적 잡문은 이제 체계적으로 사용되기에 이르렀다.

우연히 보관되어 있던 17세기와 18세기 런던과 브리스톨의 범대서양 이주노동자들에 대한 목록들이 매우 중요한 자료가 되었다. 일찍이 1934년에 제기된 질문들에 좀더 충실히 답변할 수 있게 되었으며, 그에 대한 답변들은 다시 관련 연구의 한 흐름을 만들어냈다. 브리스톨과 런던의 이주노동자들 목록을 사용한 애벗 E. 스미스Abbot E. Smith는 1947년에 『묶임 당한 식민지 사람들Colonists in Bondage』에서 백인 하인들과 죄수들의 범대서양 이주에 대하여 연구하였는데, 밀드레드 캠벨Mildred Campbell은 이 목록들을 좀더 충실하게 분석하여 「초기 아메리카인들의 사회적 태생」(1959)에서 사회충원에 대한 독특한 그림을 그려냈다. 이주노동자들의 사회적 수준에 대한 캠벨의 결론은 젊은 경제학자 데이비드 갈렌슨David Galenson(1978)에 의해 비판받았으며, 캠벨은 새로운 도표들을 가지고 반박하였고(1979), 마지막으로 이들의 논쟁은

1981년에 출간된 갈렌슨의 저서 『식민지 아메리카의 백인 노예White Servitude in Colonial America』에서 모든 하인 목록에 대한 광범위한 통계분석에 흡수되었다. 그리고 이들을 뛰어넘는 연구들이 있었다. 『서구로 항해한 사람들Voyagers to the West』(1986)은 40년 전에 스미스가 처음 사용했던 런던 이주노동자 목록에 대한 포괄적인 통계분석에 기초하여 혁명 직전에 서반구로 간 영국 이민자들에 대한 해석을 내놓았다. 여기에 더해 아메리카로 이주한 죄수들에 대한 스미스의 초기 관심은 죄수 이동에 관한 로저 에컬츠Roger Ekirch의 결정적인 연구인 『아메리카로 가는 길Bound for America』(1987)에서 완성되었다고 하겠다. 이처럼 대서양 역사는 대서양 역사 서술의 한 구석에서 호기심과 새롭고 더욱 포괄적인 견해에 힘입어 40년이 넘는 기간 동안 차근차근 발전하였다.[24]

북아메리카 역사의 다른 영역들에서도 동일한 자극이 동일하게 창조적인 것으로 판명되었다. 이는 특히 17세기 체서피크 지역에 대한 일단의 사회사가들의 훌륭한 업적에서 가장 잘 나타난다. 1960년대 초에 일단의 젊은 역사가들은 메릴랜드와 버지니아의 어머어마한 사료들을 파헤치기 시작하였고, 미국 남부의 상부 지역Upper South의 사회 조직, 가족과 가정 구조, 노동력에 대한 질문들에 영국 역사학자들이 다듬은 프랑스 인구학자들의 기술들을 적용하였다. 이들의 질문은 신선했고 그 발견은 종종 놀라운 것이었다. 이들은 진행 중인 연구를 서로 참조해가면서 논문을 연이어 발표하였다. 공동연구가 편성되거나 재편성되었다. 사료들이 모이고 출간되고 분석되고 재분석되었고, 마침내 세 개의 자료집과 일련의 보조자료(모두 관련이 있었고 서로 힘을 실어주었다)가 출간되어 예전에 전혀 알지 못했던 영국령 아메리카의 식민지 세계, 다시 말해 그 독특하면서도 복합적인 사회구조, 대도시 사회모델과 다른 점, 그리고 대서양 세계의 다른 부분과의 연결망들을 밝혀냈다. 이러한 업적이 외부의 영향을 받아 이루어진 것은 아니었다. 이 대단히 창조적인 작업을 지탱한 추진력, 좀더 구체적으로 말하자면 새로운 질문들에 대한 관심, 처음 발견한 자료와 새로운 기법을 사용하려는 시도, 잃어버린 세계를 재발견한다는 흥분과 만족감은 내부에서 생겨났다.[25]

영국 세력권 내의 다른 집단의 역사에 대해서도 동일한 가능성이 나타났다. 유사한 노력 덕분에 18세기 북아메리카로 이주한 독일 프로테스탄트교도들과 인종적 자부심 때문에 오랫동안 낭만적으로 그려졌던 이들의 정착에 대해 더욱 잘 이해하게 되었다. 이민자들이 얼마나 많았고 유럽에서 어떤 출신이었는지 밝혀지자 제기된 질문들은 흥미를 자아냈다. 명확한 답변을 내놓지는 못했지만, 답변을 찾는 과정에서 대서양 세계 전체를 조망하는 훨씬 더 흥미롭고 수수께끼 같은 질문들이 제기되었다.

50만에 달하는 독일 프로테스탄트교도들은 17세기 후반에 반동적인 가톨릭 선제후가 지배하던 팔라틴령Palatinate을 비롯해 독일 남서부, 스위스 북부, 프랑스 남동부 등지에서 좀 더 관용적인 공동체를 찾아 도피하였다. 여기에는 어떠한 신비도 없다. 대다수 국외 이주 결정들에도 신비는 없었다. 이들은 합리적인 결정을 내려, 오스트마르크Ostmark에 거주할 사람들을 모으던 프로테스탄트 프로이센까지 북동쪽으로 수백 킬로미터를 이동하였고, 다뉴브 강을 따라 그들에게 어느 정도의 안정을 보장한 합스부르크령으로 내려가기도 하였다. 불가사의한 것은 왜 그들 가운데 10만 명이 비합리적 행동을 하였으며, 40여 곳의 통행료 징수소와 관문들을 통과해야 했던 라인 강을 따라 모진 항해를 감행하였으며, 어려운 환경이 기다리고 있는 로테르담에 빈궁한 상태로 이르렀으며, 하루하루 항해할 때마다 자원이 고갈되어 결국 사우샘프턴이나 카우스까지 여행하였는가 하는 것이다. 이들은 영국의 통과지점에서 더욱 어려운 상황에서 다시 오랫동안 기다린 후에, 연안을 따라 운행하는 스쿠너[schooner, 두 개 이상의 마스트를 가진 세

로돛 범선]보다 약간 더 나은 배에 의지하여 4,800킬로미터에 달하는 대양을 항해하는 모험을 하였다. 특히 팔라틴령의 마을에서 항해가 비참하다는 소문이 자자하게 퍼졌는데도, 이들은 왜 이러한 모험을 감행하였을까?[26]

이러한 질문들은 흥미를 자아낸다. 이 질문들은 초기의 질문과 답변에서 발전하였으며, 독일 공동체들과 영국령 북아메리카 사이의 문화적 관계에 대한 좀더 깊은 연구로 이끌었다.[27] 답변들은 호기심을 채워주고 연구자들을 괴롭힌 몇몇 예외들을 해명해주는 것 외에 다른 목적은 없었지만, 일단 답변들이 나오자 대서양 세계를 하나의 인간 공동체로 좀더 폭넓게 이해하는 방향으로 이끌었다. 따라서 18세기 초에 현재 미국의 조지아에 해당하는 외딴 지역에 있었던 세상에 알려지지 않은 독일인 정착지는, 산악으로 둘러싸인 시골의 채광지대에서 루터교도들을 추방하기 위해 반동적인 잘츠부르크 대주교가 내린 결정에 따른 우연한 결과로 보인다. 머지않아 모차르트의 성공과 시련의 장소가 될 그 유명한 잘츠부르크 대주교령과 조지아주 에벤에셀의 호젓한 변경지대에 위치한 루터교도들의 마을은 이제 같은 이야기의 한 부분으로 이해할 수 있다.[28]

영국령 아메리카의 다른 정착민 집단들과 아일랜드, 스코틀랜드, 네덜란드 같은 그들의 본래 문화 중심지 사이의 범대서양 연결망을 입증하고자 하는 위와 비슷한 노력이 진행되었다. 그리고 이를 넘어서, 북아메리카 사회에 깊이 뿌리박은 근대 초 영국의 네 개의 문화적 경향들, 다시 말해 청교도들, 영국 국교도들, 퀘이커-경건주의자들, 그리고 북방 변경지대의 스코틀랜드인과 아일랜드인의 지역적 하위문화들을 추적하려는 노력이 있었다.[29]

같은 시기에, 아프리카-대서양 디아스포라의 차원과 내부의 복잡성이 명확해지고 범대서양 영국령 아메리카로의 이민과 정착의 역사가 정교해지면서, 라틴아메리카 역사가들도 정복과 제국의 제도에 대한 전통적 설명방식보다 훨씬 더 폭넓고 주제를 바라보는 관점을 확장하는 열쇠를 인구사에서 발견하고 있었다. 수십 년간 가장 이해하기 어려운 난제는 유럽과 접촉하는 시점에 원주민 인구의 규모와 파국적인 인구 감소의 정도와 원인이었다. 유럽 제국주의의 인적 손실에 대한 전후의 관심과 관련이 있고 현재 라틴아메리카의 사회적 · 정치적 삶에서 인종적 차이로 인한 그늘에 맞선 투쟁과도 관련이 있다는 점에서 이 난제들은 정치적 함의가 깊은 주제들이다. 그러나 급격히 늘어난 라틴아메리카 인구사에 대한 저술은 처음부터 역사가들의 학문적 관심에서 추진력을 얻었고, 역사학의 테두리 안에서 벌어진 논쟁으로 활기를 띠었다.

폴란드 태생의 베네수엘라 학자인 안헬 로젠브라트Angel Rosenblat는 아메리카 대륙 전체의 토착민에 대하여 광범위한 연구를 수행하였다. 10년 전에 스페인에서 시작한 그의 연구는 1920년대까지 거슬러 올라가는 다른 인구추산들을 대체하였다. 세계대전 이후에 최초의 추진력이 된 로젠브라트의 연구는 스페인-아메리카 역사의 "검은 전설Black Legend"도 혹은 그 반대입장도 지지하지 않았다. 라틴아메리카의 일반적인 새로운 사회사가들처럼, 로젠브라트도 "검은 전설을 직접 논박하는 것을 멈추고…… 신세계에서 스페인이 저지른 잔혹행위와 야만행위 혹은 스페인의 업적은 배제한 채 난폭함만을 강조하는 서술들에 대한 도덕적 분노에 뿌리박은 역사를 포기하였다." 그의 추산(1945년, 1954년, 1967년에 개정)은 엄밀하지 않은 배경투사, 여기저기서 가져온 당대의 추산들, 그리고 정보에 근거한 추측에 토대를 둔 것이었다. 그의 낮은 인구추산은 일련의 반발과 "인구를 높게 추산한 사람들"에 의한 새로운 통계조사를 촉발하였다. "인구를 높게 추산한 사람들"을 모질게 비판했던 자들이 훗날 인정했듯이, 뒤이어 "급속도로 확장한 논쟁에는 새로운 논증과 새로운 형식의 담론이 포함되었고…… 놀랄 만큼 폭넓은 학문들로부터 여러 개념들을 받아들였다." 기술적 연구와 서술이 급증하는 데 핵심 역할을 한 학

자들(이 가운데에는 로젠브라트 외에도 레슬리 심슨Lesley Simp-
son, 셰번 쿡Sherburne Cook, 버클리의 우드로 보라Woodrow
Borah, 스톡홀름의 마그너스 뫼르너, 미국 여러 대학에서 재직
한 헨리 도비스Henry Dobyns, 그리고 쾰른의 리카르트 코네츠
케Richard Konetzke가 있었다)은 전쟁이 끝나자마자 상호 도전
과 경쟁, 협력이 엄청난 생산성을 자극하는 국제 연구 공동체
를 결성하였다. 쿡과 보라 두 사람이 협력한 멕시코 인구사 연
구는 3권(1971-1979)으로 출간되었다. 1947년에서 1980년 사
이에 출간된 뫼르너의 저작목록은 5개 국어로 274권에 이르
렀는데, 주로 라틴아메리카 인구사에 집중하였으며 『라틴아메
리카사에서의 인종 혼합Race Mixture in the History of Latin
America』이라는 짧지만 거장다운 개론서에서 그 주제를 잘 요
약했다. 뫼르너는 정치적 의도가 없었지만 그의 연구결과는 정
치에 이용하고자 하는 이들에게 매우 유익하였다. 버클리 연구
집단을 비롯한 이들의 높은 인구추산이 훗날 데이비드 스태너
드David Stannard의 『미국의 집단학살American Holocaust』
과 커크패트릭 세일Kirkpatrick Sale의 『천국의 정복The Con-
quest of Paradise』과 같은 열띤 문화비평에 이용되긴 했지만,
그들의 목표는 문화전쟁이 아니라 어려운 기술적 탐구, 즉 한
세대 후에도 해결되지 않을 탐구에 기여하는 것이었다. 그들

을 가장 신랄하게 비판한 사람도 그들이 처음에 제시한 높은 인구추산과 관련한 정치적 올바름 때문에 비판한 것은 아니었다. 이 비판가가 그들의 역사 외적 동기에 대해서 말할 수 있는 것은 기껏해야 "엘리트 정신과 동아리 정신이 결합한" "시대정신"이 그들에게 영향을 끼쳐서 그들의 작업에 영감을 주고 추동했다는 정도였다.[30]

그러나 원주민 인구통계는 결코 동떨어진 문제가 아니었다. 이것은 정복민과 원주민이 만남으로써 생겨난 엄청나게 복합적인 사회세계 및 정복민의 역사와 밀접하게 맞물려 있었다. 영국령 대서양의 인구이동 연구와 병행하여 이베리아인의 스페인령과 포르투갈령 아메리카 대륙으로의 이동을 추적하는 연구가 진행되었다. 어떤 경우에는 (특히 브라질의 경우는) 기록들이 드물었고, 또 어떤 경우에는 기록들에 접근하기가 어려웠지만, 영국 이민기록부와 엇비슷한 인도 제도의 기록관리소의 서인도 제도 여객 연구 덕분에 체계적인 연구를 할 수 있게 되었다. 피터 보이드-바우먼Peter Boyd-Bowman의 스페인 이주자의 지역적 기원에 대한 분석은 "사전에 착상한 어떠한 개념도 없이" 1952년에 시작하였고, 1973년과 1976년에 요약하였으며, 서반구에서 인구를 재배치하는 작업의 일환으로서 이동하는 독특한 세계를 그려내었다. 주로 언어학적 증거에 기초하여 보이드-바우먼이 발견한, 대서양을 횡단하는 통계적으로 전형적인 항해자는 "가난에 찌든 안달루시아인으로 27.5세의 남성이며, 미혼이고, 미숙련공이고, 아마도 읽고 쓰는 능력이 불충분한 사람이며, 배고픔 때문에 항해 비용과 필요한 허가를 보장한 누군가에게 고용되어 페루를 향해 길을 떠난 사람"이었다. 전형적인 여성은 약간 더 나이가 들었고, 기혼이며, 어린아이들과 1-2명의 하인을 대동하였다. 남자와 여자 모두 전형적으로 "음성학적으로 혁신적인 사투리가 이미 카리브해의 모든 항구에서 표준화되고 있었던" 세비아에서 태어나고 자랐다. 처음에는 안달루시아인이 대다수였지만 나중에는 다양한 범주의 카스티야인들이 다수를 이룬 것이 분명하다.[31] 이러한 모든 것은 이베로-아메리카 역사에서는 특히 새로운 차원의 사회사, 새로운 의미의 범대서양 연합이라는 점에서 새로운 것이었다.

보이드-바우먼에게는 대서양이라는 맥락에서의 언어가 주요 관심사였지만, 제임스 록하트James Lockhart의 표현에 따르면 그의 연구는, "'스페인 사람', '인디언'과 '메스티조mestizo'라는 것이 당대에 무엇을 의미하였는지를 자세히 알려주기 위해" 예전에는 거의 쳐다보지도 않았던 라틴아메리카의 사회사 영역을 개척한 다른 전후 역사가들—여기저기 흩어진 엄청나게 다양한 사료들을 인구통계 정보로 이용할 수 있게 되었을 때, 그것을 이용할 줄 알면서도 인구통계를 넘어서 사람들 삶의 미세한 현실도 들여다볼 줄 아는 "면밀한 분석가들"—과도 관련이 있었다. 가장 능숙한 "면밀한 분석가들" 가운데 한 사람인 록하트 자신은 단순히 라틴아메리카 역사에 대한 지식을 확장하고 "전체를 이해하기" 위해 1960년경에 연구에 착수하였다. 록하트는 자신을 포함하여 학자들의 동기부여에 대하여 숙고하였고, 분명한 결론을 내렸다. 1972년에 록하트는 자신과 같은 사회사가들은

개발주의자들의 도덕적 분노에서 동기를 부여받기보다는 자신이 연구하는 주제에 매료되어서 동기를 부여받았을 가능성이 더 높다. …… 연구하는 주제에 고도의 정치적 또는 이데올로기적 고려가 담겨 있다면, 그 연구는 눈에 띄지 않을지는 모르지만 자연스럽고 유기적이고 어떤 의미에서는 논리적이기도 한 방식, 곧 꾸준히 사료를 들여다보는 방식에서 멀리 벗어나기 쉽다.

1960년대와 1970년대의 사회사가들이, 학문 선배들의 관심을 넘어서서 록하트가 "20세기 정치-제도 운동"에 의해 형성

된 질베르토 프라이어Gilberto Freyre의 "인상주의적 경솔함"이라고 부른 것보다 훨씬 더 깊고 체계적인, "사회 현실의 특정한 부분에 대한 면밀한 연구"를 수행한 것은 바로 록하트가 이베로-아메리카 사회의 "핵core"이라고 부르는 것을 발견하기 위해서였다. 이들의 연구는 인류학자들과 고고학자들의 영역이었던 서구인들과 접촉하기 이전의 자생적인 세계에 대한 것이 아니라, 세 대륙의 인간들이 만나면서 생겨난 이베로-아메리카의 인간적 현실에 대한 것이었다. 그들이 발견한 현실은 다층적이었으며, 행동양식, 생활양식, 그리고 사회구조의 복합적인 혼합물이었다. 분석이 미립자처럼 섬세하면 섬세할수록, 그림은 더욱 복잡해졌다. 따라서 하시엔다[hacienda, 브라질을 제외한 라틴아메리카의 대토지 소유제도]와 엔코미엔다[encomienda, 에스파냐령 남아메리카의 식민지적 영주재산제도]의 내부 현실은 그때까지 보아온 것과는 달랐으며, 원주민과 스페인 사람, 메스티조의 가족이나 가구家口도 마찬가지였다. 지방법원 재판에 대한 연구는 "하나의 완전한 사회적 환경의 내부 구조"를 드러내기 시작했다. 공적 생활은 예상하지 못했던 방식으로 사회생활과 뒤얽힌 것으로 밝혀졌고, 루소-브라질Luso-Brazilian 세계는 중요한 세속적 형제애를 통해 "완벽한 유럽식 도시지향적 사회"로서 작동하는 것으로 나타났다. 아우디엔시아[audiencia, 에스파냐의 식민지 통치를 위해 현지에 설치된 고등사법재판소를 말함] 판사들, 상인들, 지방관료들, 그리고 대농장의 민중에 대한 집단 전기는 유명한 정복자들과 동행했던 무명의 민중에 대한 록하트의 연구 『카하마르카의 사람들The Men of Cajamarca』과 데이비드 브래딩David Brading의 멕시코 과나후아토Guanajuato의 『광부들과 상인들Miners and Merchants』에서처럼, 이전에는 전혀 알지 못했던 사회구조를 드러냈다. 카스타[casta, 17, 18세기 스페인령 아메리카의 혼혈인]의 내면적 삶에 대한 새로운 관점들도 어렴풋이 알게 되었고, 그 시대의 중대한 발전 시기에 점차 힘을 늘려가던 크레올 귀족집단의 실제 모습, 즉 그들의 인종적 구성, 문화적 성취와 정책을 그려낼 수 있었다.

라틴아메리카의 사회사가 이렇게 신속하게 확산될 수 있었던 것은 록하트가 "주제의 내적 논리"라고 부르는 것 때문이었다.[32] 이 논리는 자연스럽게 범대서양 모자이크를 이룬 요소들을 접합했으며, 여기에 쓰인 접착제는 경제사가들이 제공했다.

쇼뉘, 마우로Mauro, 고디뉴, 해링, 해밀턴, 비센스 비베스Vicens Vives와 같은 초기 역사가들은 수많은 무역 연결망, 금융과 자본의 흐름, 대륙 간 노동시장과 범대양 유통방식으로 묶인 대서양 경제구조를 구성하는 데 필요한 요소들을 제공하였다. 그러나 이들의 연구 대부분은 국가라는 영역에 한정되었는데, 이는 부분적으로는 사료가 국가 기록관리소에 집중되어 있었기 때문이고, 또한 중상주의의 교리가 아직도 유효하였기 때문이며, 어느 정도는 역사가들이 민족주의라는 범주 안에서만 생각하였기 때문이다. 좀더 젊은 전후 경제사가들은 이러한 한계에 저항하였고 점차 좀더 복합적인 세계의 징후들을 밝혀내기 시작하였다.

1960년대 후반에, 식민지 라틴아메리카의 경제사가들을 선도한 스탠리와 바바라 스타인Stanley and Barbara Stein 부부는, 서유럽의 모든 중요한 물품공급자들을 스페인령 아메리카의 무역에 끌어들인 이 체제의 윤곽을 이미 파악할 수 있었다. 이는 스페인이 자신의 산업기반을 다지는 데 실패하였기 때문이다. 스타인에 따르면, 1700년경에 스페인과 아메리카의 무역에서 안달루시아의 독점자들은 사실상 "제노바, 프랑스, 네덜란드, 잉글랜드에 거주하거나 혹은 거주하지 않는 상인들의 명목상 대리인들"에 불과하였고, 1703년의 메수엔 협약은 포르투갈과 브라질을 "잉글랜드가 중심에 위치한 경제적 제국주의의 연결망"에 끌어들였다. 외국의 이해관계가 이베로-아메리카 상업체계 전체를 좌우한다는 것이 분명해졌다. 그리고

1950년대와 1960년대의 연구들로부터, 국가가 공식적으로 구성한 상업체계가 스페인 경제의 다국가 지배라는 현실 위에 나타난 단순한 외관에 지나지 않는다는 사실이 더욱 명확해졌다.

한편 이 시기에 경제사가들은 대서양 경제의 어떠한 필수적인 부분도 전체의 관점에서만 이해할 수 있으며, 형식적 규범들이 현실을 묘사하지 않는다는 것을 깨닫고 있었다. 베이크웰P. J. Bakewell과 데이비드 브래딩의 새로운 저작들에서, 동원 노동, 광석 자원, 용광로, 공장, 정련소로 이루어진 복합단지를 거느린 대규모의 아메리카 채광 산업은 광범위한 대서양의 시각에서, 다시 말해 스페인의 수은 생산, 독일의 은행 전략, 마드리드의 세금 정책과 규제에 대한 상세한 설명, 그리고 금과 은의 생산이 스페인 경제와 대외관계 및 유럽의 무역 체계에 미친 영향에 대한 이전보다 훨씬 더 상세한 설명을 포함하는 시각에서 이제 이해되었다. 클라크G. N. Clark에 따르면, 아메리카의 채광 산업에 뒤따른 물가상승은 스페인에서 처음 시작해서 "러시아와 터키 제국의 서쪽에 위치한 모든 나라들로 확산되었으며, 물품을 은과 교환함으로써 아메리카의 보물을 차지할 수 있는 정도에 따라 어떤 곳에서는 좀더 빠르게, 어떤 곳에서는 좀더 느리게 확산되었다. …… 구세계의 지주들과 농민들은 이를 계속하는 것이 좀더 어려웠다. 무역업자들과 은행가들은 좀더 쉬웠으며, 자본주의는 발전하였다." 루이스 행크는 대규모 채광지역의 역사에 대한 전후 초기의 연구에서, 포토시Potosí는 "미국의 서부개척시대와 같은 분위기"였으며, 스페인 사람들과 온갖 종류의 카스타들뿐만 아니라 왕이 우려한 다양한 외국인들로 붐볐다.[33]

다른 영역에서도 경제생활을 폭넓게 바라보는 관점이 나타났다. 커틴처럼 본래 영국 역사가인 제이콥 프라이스Jacob Price는 주로 영국의 거래에 국한하여 연구한 대영제국의 재무부와 담배 무역에 대한 1954년의 학위논문에서, 영국과 북아메리카뿐만 아니라 서유럽과 그 식민지들의 상업경제 대부분을 포함하는 주제를 발견하였다. 훗날 3권으로 엮은 그의 평론들은 담배 무역에서부터 스코틀랜드 상품화, 신용 구조, 퀘이커교도 상업 가문, 그리고 무역균형 조작까지 논리적으로 확장되었다. 그의 「러시아로의 담배 모험」(1961)은 표트르 대제 시기에 러시아 전체 담배 시장을 독점하기 위하여 영국과 러시아의 상인들과 외교관들이 기업연합syndicate를 구축하려 했던 노력을 추적하였다. 이 거대한 계획은 무능력과 탐욕 때문에 마지막 순간에 실패하고 말았지만, 만약 성공했다면 그 결과가 어떠했을지 상상해볼 수 있을 것이다. 만약 아메리카의 담배 생산이 잠재적인 러시아 시장을 충족시킬 만큼 증가했다면, 담배 경작 면적이 엄청나게 넓어졌을 것이고, 노동시장에 커다란 압력을 가해 노예무역을 비롯한 인구 이동을 촉진했을 것이고, 아메리카 농장주와 영국 중간상인에게 훨씬 더 높은 이익을 가져다주었을 것이다. 이후에 서반구의 담배 생산지에서 상인과 농부, 하인과 노예의 운명은 러시아의 도시와 읍, 농촌의 담배 흡연자들의 습관과 긴밀히 엮였을 것이다. 그러나 러시아 담배 계약이 없었더라도, 유럽과 아메리카는 다른 무역에서처럼 담배 무역 거래에서 협력하였다. 두 권으로 출간된 프라이스의 걸작 『프랑스와 체서피크France and the Chesapeake』(1973)는 프랑스, 영국과 체서피크 지역의 재정, 상업, 사회와 정책을 속속들이 살펴보았다.[34]

근대 초 서구 경제사에서 "대서양" 부분은 라로셸La Rochelle이나 체사피크만의 동쪽 해안, 잉글랜드 브리스톨, 서인도와 라틴아메리카의 여러 항구도시들이나 뉴잉글랜드의 지역적인 발전을 밝히는 것이었다. 이러한 새로운 차원의 역사 서술 단계 초기에, 17세기 뉴잉글랜드의 상인들이 자신들의 이익을 안정적인 삼각무역이 아니라 매우 예측 불가능한 방식들로 변화하는 불안하고 유연한 다층적인 형태의 무역에 의존하고 있었다는 것이 분명해졌다. 또한 이들 상인은 지역의 변덕스런 공급과잉과 기근에 좌우되었으며, 이들의 성공이 현명하게 즉석에서 결정을 내리고 재빠르게 위험부담을 감당할 수 있는 능력과 기술을 갖춘 신뢰가 두터운 매매상인들에게 달려 있다는 것은 분명했다. 상인 가문들이 그들이 가장 신뢰할 수 있는 아들이나 성실한 인척들을 잉글랜드, 아일랜드, 와인아일랜즈Wine Islands, 카리브해와 대륙 남부의 식민지들에서 이루어지는 있는 가문들의 무역에 파견하였기 때문에, 결과적으로 대서양 분지 전체에 걸친 뉴잉글랜드의 초기 무역 연결망은 친족관계 연결망이 되었다. 그리고 가족 간 유대관계가 뉴잉글랜드의 가문들에게 의미하는 것은 종교적 유대관계가 펜실베니아의 퀘이커교도 상인들에게 의미하는 것과 같았다. 이들과 동일한 종교를 믿는 신자들은 대서양 항구도시들에 퍼져나가 필라델피아를 오고가는 모든 무역을 관장하였다. 무역 가문의 젊은 아들들은 모든 지역에서, 즉 스페인에서처럼 잉글랜드에서, 프랑스에서처럼 네덜란드에서, 대서양 분지 전체에 걸쳐 다양한 지역에서 장사를 배우고, 훗날 장사를 같이하게 될 사람들을 만나고, 최신 상업기술을 배우기 위해 외국으로 파견되었다.[35]

상업의 인간적 · 개인적 · 기업적 면을 강조함으로써 대서양 체제 내의 연결망과 관련한 오래된 문제들을 새롭게 조망할 수 있게 되었다. 네덜란드 서인도회사의 공식적인 구조가 아니라 이 회사를 구상하고 통제하는 사람들에 대해 연구함으로써, 카리브해 전역과 남북아메리카 대륙 내부에까지 촉수를 미친 서인도회사의 실패가 회사 중역들의 실패가 아니라는 사실이 밝혀졌다. 회사 중역들은 어떻게 회사를 이용하고 문제들을 회피하며, 어떻게 회사가 과거에 독점했던 지역에서 개인 무역상 자격으로 계속해서 이득을 내며, 어떻게 카리브해와 남아메리카 대륙에서 새로운 모험을 할 때 회사의 시선이 미치지 않는 곳까지 나아갈 수 있는지를 알고 있었다.[36]

그러나 17세기와 18세기 대서양 세계에 작용했던 구심력은 인구나 노동시장이나 경제에 국한되지 않았다. 전후 세대의 역사서술에서, 학문 내부의 힘, 새로 수집된 정보들로 생겨난 호기심, 그리고 오랜 질문들에 답함으로써 변증법적으로 새로 생겨난 질문들에 힘입어 이루어진 가장 중요한 발전은 대서양 정치 작동에 대한 좀더 깊은 이해였다.

정치가 곧 통치는 아니다. 당대에 스페인, 포르투갈 그리고 대영제국에 있었던 공식적 통치구조는 이미 오래전부터 알려져왔다. 그러나 1960년대와 1970년대에 역사학 사고의 저변에 놓인 이유들로 인해, 사람들은 제도를 넘어서 이 구조를 통제하고 이용하고 작동시킨 사람들에 대해 생각할 필요가 있다고 느꼈다. 다시 말해 권력의 구조를 넘어서 권력의 사용, 권력의 사용자들, 그리고 권력의 혜택을 받기 위한 개인과 집단들의 경쟁에 관심을 갖게 되었다. 그리고 그 주제, 곧 정치가 구조와 함께 드러났을 때, 이전에는 전혀 보이지 않았던 대서양 세계 전역에 걸친 거대하고 복잡한 연결망이 드러났다.[37]

제국의 통치나 모국과 식민지의 제도적 관계의 깊이와 복잡성에 있어서 대영제국이나 프랑스 제국과는 확연히 다른 스페인 제국은, 정치가 범대서양적 성격을 띤다는 점에서는 독특하지 않았다. 스페인 제국은 제국의 거대한 공간에 두루 퍼진 관료망을 형성한 국왕 관료계층에 의해 통치되었다. 최고집행부는 부왕viceroy, 총독governor, 회장president들로 구성되었으며, 1808년 이전에 92명의 부왕이 임명되었다. 최고집행부 밑에 지역 아우디엔시아 판사들이 있었으며, 1687년 이후 697명이 임명되었고, 어느 시기에나 70-100명이 있었다. 아우디엔시아 판사들은 법률가, 지역 치안판사, 행정관료, 그리고 기업 이익을 위한 고문과 간사로서 평생 활동하였다. 그리고 이들 밑에 지방단위로 내려가는 하위 관료들이 있었다. 부왕이나 아우디엔시아 판사들과 같은 모든 중요한 피임명자들은 얽히고설킨 궁정정치를 통해서 지위를 획득하였으며 정치적 대리자로 활동할 것을 요구받았다. 피임명자들에게는 필요한 자격요건이 있었다. 예컨대 아우디엔시아 판사들은 귀족 출신으로, 경제적으로 풍요롭고 대학에서 법학훈련을 받은 자라야 했다. 하지만 임명되기에 충분한 조건이란 궁정에서 정치적으로 간청할 줄 알고, 끊임없이 비위를 맞추며, 영향력 있는 관계들, 다시 말해 하나의 지위를 얻으려면 수 년 혹은 수십 년의 정치적 조정과정이 필요한 관계를 만들어내는 것을 말했다. 따라서 임명을 받은 후에는 아메리카 대륙에서 분파 간 갈등의 소용돌이뿐만 아니라 궁정의 음모 속에서도 정치적으로 가라앉지 않도록 노력해야 했다. 많은 아우디엔시아 판사들은, 왕권의 부재 시기에 관직을 매입한 자라도, 자신의 이익을 지키기 위해서는 마드리드에 개인 비서를 두는 것이 필요하다고 느꼈고, 이러한 관행은 1770년대에 공식화되었다. 이러한 정치적 안전장치는 아메리카에서 출생하여 스페인과 관계가 불안정한 판사들(출신 배경이 알려진 판사들의 39퍼센트)에게 특히 필요하였다.

브라질에서는 제국의 통치는 규모가 작았지만 마찬가지로 정치적이었고, 1960년대와 1970년대의 저술에서 폭로된 대영제국의 통치 정치학은 한마디로 뻔뻔스러웠다. 영국령 대서양 식민지의 관직은 18세기 대영제국 정치의 심장부가 직접 관여하는 임명제도였다. 중요한 지방총독직처럼 가장 돈을 많이 버는 관직에서부터 작은 항구의 승선 세관감시원과 같은 가장 한미한 관직에 이르기까지 식민지에서 얻을 수 있는 관직들은, 잉글랜드의 상관들이 임명했고 이들이 통제하는 체제의 압력에 따라 분배되었다. 18세기 중반 뉴캐슬 공작은 정치적 암투를 거쳐 매우 귀중한 재산인 85개 식민지 관직을 소유하였다. 1770년대에 뉴캐슬 공작의 후계자는 226개의 관직을 소유하였으며, 이 관직들은 식민주의자들의 필요와 이해관계나 피임명자의 자격이 아니라, 영국 내 정치가들의 분파 이익에 따라 증여되었다.[38] 그리고 영국과 식민지들을 연결하는 정치적 임명의 한 갈래는 군대였다. 1660년과 1727년 사이에 임명된 국왕 지방총독들의 10분의 9는 군복무에 대한 포상으로 총독직을 받은 장교들이었다. 1704년에 블렌하임Blenheim 전투에서 말보로 공작 수하에 있었던 전장의 장교들 9명은 북아메리카 총독직을 포상으로 받았다.[39]

1970년대 초반까지 앵글로아메리카 정치체제는 본질적으로 "런던과 여러 식민지들에 연락 '지부'를 가지고 있는 상업적·종교적·인종적 이해집단들의…… 비공식적 관계의 거대한 연결망"이었다.[40] 라틴아메리카의 크레올[Creole, 아메리카 대륙과 서인도 제도에서 태어난 프랑스인/스페인 사람의 후손. 또는 프랑스인/스페인 사람과 흑인 사이에서 태어난 혼혈인] 지도자들처럼 앵글로아메리카의 크레올 지도자들은 공개적으로 통치의 혜택을 받기 위해 경쟁하였으며, 왕권이 자신들에게 적합할 때에만 왕권을 지지하였고, 일반적으로 제도의 합법성을 존중하고 제도권 안에서 활동하였지만, 필요할 경우에는 왕권에 도전하거나 아예 무시하기도 하였다.

영국, 스페인, 포르투갈의 정치적 중심부에 일어난 사건은 아메리카 대륙의 지방 정치가들에게 중요하였다. 그들은 모국에서 일어나는 분파 정치의 우여곡절에 따라, 그리고 때로는 유럽 대륙에서 강대국들 간의 경쟁에 따라 부를 획득하기도 하고, 권력을 얻거나 잃기도 하였다. 1768년까지 대영제국 식민지부의 행정 수석은 관할권이 실제로는 서유럽 전역에 걸치는, 남부 지방 담당 국무장관Secretary of state for the Southern department이었다. 서반구의 정치에 대한 국무장관들의 결정은 파리, 마드리드 그리고 빈에서 부분적으로 개입의 기능을 수행하였다.[41]

인구사, 사회사, 경제사 그리고 정치사의 여러 측면에서, 토론의 영역은 대서양 분지 전체를 포함할 정도로 확장되었다. 지성사도 마찬가지로 확장되었다. 1970년대 초반에 유럽과 아메리카의 정신세계의 요소들을 어느 정도 종합해서 역사적 탐구의 영역을 확장하는 징후들이 나타났다. 프랑코 벤투리Franco Venturi는 1950년대에 계몽사상의 유럽 전파에 대해 연구를 시작하였고, 1969년까지 트레브리언 강좌Trevelyan Lectures를 진행하면서 영역을 확장하여 "머나먼 아메리카 대륙에서…… 유럽의 새로운 독립정신"의 모델을 발견하였다. 벤투리가 이탈리아와 프랑스에서 북쪽과 서쪽으로 계몽사상이 흘러가는 흐름을 추적하고 있던 그 시기, 캐롤라인 로빈슨 Caroline Robbins은 개혁파reformist, 공화파republican, 영국연방파commonwealth의 사상의 핵심 전통을 드러내고 있었다. 이들 사상은 17세기 혁명 이후 한 세기 동안 영국의 반대파들을 관통하였으며, 영국이 아니라 북아메리카 식민지에서 그 사상을 실현하였다. 포콕J. G. A. Pocock이 영국의 정치 이데올로기에 대한 연구를 시작한 것도 1950년대였는데, 포콕은 처음에는 마키아벨리, 해링턴 그리고 영국의 정치 이데올로기들에 대한 기념비적인 논문을 썼으며, 마침내 『마키아벨리적 순간The Machiavellian Moment』에서 그가 15세기 이탈리아에서 19세기 초 아메리카에 이르는 "대서양 공화주의 전통"이라고 부르는 것의 계보를 완성하였다. 1960년대 말까지 마키아벨리에서 해링턴, 네빌 그리고 『카토의 편지Cato's Letters』를 거쳐 매디슨과 제퍼슨에 이르는 발전과정은 분명해 보였으며, 앵글로아메리카 정치사상의 범대서양적 통일성이라는

의식을 보여주었다.[42]

이베로-아메리카 세계에서도, 그 내용이 다르긴 했지만, 유럽과의 결속은 분명하게 나타났다. 초창기의 문제는 스페인의 식민지들이, 보통 말하는 것처럼, 무지와 몽매주의에 빠져 있었는지, 그리고 중세 스콜라주의와 반동적인 교회들의 통제를 받아 유럽에서 떠오르던 계몽사상으로부터 차단되었는지를 밝히는 것이었다. 좀더 우호적인 관점의 조짐들이 전쟁 전에 나타나기는 했지만, 본격적인 우호적 관점은 어빙 레오나드Irving Leonard가 "세속적이고 우화적인" 출간물들이 라틴아메리카에서 자유롭게 유포되었다고 증명할 수 있었던 그다음 10년 동안 나타났다. 같은 시기에 스페인령 아메리카의 학문 문화의 수준을 연구한 존 T. 래닝John T. Lanning은 "모국과 식민지 사이에 300년의 문화적 격차가 있었던 것은 아니다. 스페인 식민지들에서 유럽의 혁신가와 아메리카의 학자 사이에는 한 세대 정도의 차이밖에 없었다. …… 당시의 교통 수준과 식민지들의 고립 상태를 공평하게 참작한다면, 1780년에서 1800년 사이에 그 차이는 더 이상 존재하지 않았다"라고 결론지었다. 비록 어떤 역사가도 라틴아메리카의 지성계가 완전히 관대하고 자유롭다고 주장하지는 않았더라도, 그리고 뉴턴과 데카르트의 교리들이 식민지의 사고에 얼마나 포함되었는지 분명하지 않다고 하더라도, 1950년대 초에는 적어도 스페인의 대서양 제국에서 가장 지적인 계층은 유럽 계몽주의의 선진문화를 공유하였다는 것은 분명하다.[43]

역사가들의 세계는 공적 세계와 마찬가지로, 제2차 세계대전 이후 이삼십 년 사이에 변화하였다. 이러한 변화들 가운데에는 대서양 지역을 뚜렷하게 구별되는 활동무대로 인식하는 변화가 있었는데, 이는 결코 계획하거나 조정한 것이 아니었다. 대서양 역사를 주제로 서술한 역사가들은 다양한 시각, 다양한 이유와 다양한 동기를 가지고 대서양 역사에 접근하였다. 일부 학자들은 단순히 국지적인 관심을 추구하다가 예상했던 것보다 훨씬 더 넓은 범위를 연구하게 되었고, 다른 학자들은 기존의 연구보다 좀더 넓은 범위를 탐구하기로 결심하였다. 대다수 학자들은 대서양 역사라는 주제가 드러내는 논리를 따라가고 있었다. 어느 누구도 현대 정치학을 역사에 투영하려고 하지 않았지만, 리프먼이 "서양 세계를 통합하는 뿌리 깊은 이해관계망"이라고 부른 것을 확인하고 보호하기 위해 자신들 주위에서 벌어지고 있는 투쟁을 알아차리지 못한 역사가는 거의 없었다. 역사가로서 그들은 정치와 유리되어 있었지만, 그들은 당대를 사는 사람들이었고, 그들의 인식은 그들 영역의 좀더 큰 맥락에서 자연스러운 표현을 발견하고 있었다.

역사적 전망의 변화는 본질적으로 공간적이며, 따라서 이 시대 막바지에 이 짧은 역사적 서술 기간에 무엇이 일어났는지, 그리고 대서양 역사라는 개념이 어떻게 등장하였는지에 대해 충분히 설명한 것은 역사지리학자들이었다. 메이닝D. W. Meining은 1986년에 다음과 같이 썼다. "우리는 창조적인 발상지 두 곳에서 유래한 두 가지 거대한 충격이 대서양 건너편으로 전해져 단순히 유럽 문명을 독특하게 변형한 두 개의 문명, 즉 남쪽에서는 가톨릭을 믿는 제국적 아메리카를, 북쪽에서는 프로테스탄트를 믿는 상업적 아메리카를 만들어낸 것만은 아님을 알 수 있다. 오히려 이 유럽의 확장판들은 4개 대륙과 3개 인종 그리고 몇몇 문화체계들을 한데 묶고, 그 확장과 이동의 과정을 복잡하고 모호하게 만드는 대서양 순환 속으로 점점 더 휩쓸려 들어갔다. …… 대양은 '서양 문명의 내해', 다시 말해 동쪽으로는 오래된 문화 중심지를, 서쪽으로는 확장을 위한 거대한 변경지대를, 그리고 기다란 아프리카 해안 전체를 포함하는 지구적 규모의 '새로운 지중해'가 되었다." 메이닝에 따르면, 대서양 세계는

단순히 유럽인들이 아메리카 해안으로 이주한 것보다 훨씬 광

대한 상호작용의 현장이다. 대서양 세계를 유럽의 신세계'발견
으로 보기보다는, 구세계 두 곳 모두를 변형시키고 하나의 신
세계로 통합시킨, 구세계들 간의 갑작스럽고 거친 만남으로 보
는 편이 낫다. 우리는 이 상호작용의 결과 새롭게 형성된 인문
지리에 초점을 맞추며, 이것은 서쪽의 아메리카 대륙에서 전
개된 인문지리만이 아니라 동쪽의 유럽 대륙에서, 그리고 아
프리카 대륙 내부와 해안가에서 전개된 인문지리에도 초점을
맞춘다는 것을 의미한다. 각 대륙의 지리가 변했다는 것은 분
명하기 때문이다. 아메리카 대륙에서는 지리가 급격하게 변했
고…… 유럽 대륙에서는 기존의 공간체계를 따라 흐르면서 서
서히 그 구성과 방향을 바꾸어간 사람, 재화, 자본, 정보의 새
로운 움직임과 더불어 지리가 좀더 미묘하게 변했다. 아프리카
대륙에서는 지리가 기존의 상업체계와 연결을 형성하면서, 그
러나 결국에는 구제도의 규모와 의미를 기괴하게 바꾸어놓으
면서 서서히 불규칙하게 변했다.[44]

"…… 구세계 두 곳 모두를 변형시키고 하나의 신세계로 통
합시킨 구세계들 간의 갑작스럽고 거친 만남." 이것이 대서양
역사의 기원이다.

{
II

대서양 역사의 현황에 관하여
}

데이비드 엘티스David Eltis는 근대 초 대서양 세계에 대해서 "인류 역사에서 처음으로 반구적hemispheric 공동체"가 나타 났다고 썼다.

　이곳에 살고 있는 모든 이들은, 만약 대서양에서 공유되지 않 았다면, 분명히 대서양 분지의 다른 지역들에 사는 이들에 의 해 다시 바뀌었을 가치들을 가지고 있었다. 그리고…… 어느 작은 지역에서 일어난 일들은 꼭 경제적인 사건이 아니더라도 수천 킬로미터까지 반향을 일으킬 수 있다. 그 결과 단일한 대 서양 사회는 아니더라도, 새로운 대서양 연결망에 참여하지 않 았을 경우와 근본적으로 다른 일군의 사회가 생겨났다.[1]

독일 범대서양주의자 호르스트 피취만Horst Pietschmann
에 따르면 "유럽 역사, 북아메리카 역사, 카리브 역사, 라틴아
메리카 역사, 그리고 서아프리카 역사를 연결하는 요소"인 대
서양 역사는, 연결망 분석의 가능성, 비교역사의 논리, "체제"
라는 개념의 적용가능성과 같은 몇 가지 난해한 문제들에 대
한 방법론적 추론을 요청하고 또 요청받아왔다.[2] 그러나 역사
는 고유한 기본적인 방법과 조직의 기본 원칙을 가지고 있다.
역사는 가장 넓은 의미에서 본다면 서사narrative, 곧 연대기
와 발달과 변화에 대한 이야기이며, 성장과 변화 그리고 소멸
에 대한 이야기이다. 이렇게 볼 때 대서양 역사도 예외가 아니
다. 대서양 역사는 시공간상의 큰 주제이며, 지리, 환경, 민족
지, 경제, 정치의 관점에서 볼 때 복잡한 대상이고, 자체적으로
발달과 변화의 기본 단계들을 거치며, 그 자체로 하나의 이야
기로 볼 수도 있다. 대서양 역사의 이야기 전체를 망라하는 것
또는 그 차원들을 올바로 나타내는 것조차 간단한 일은 아니
지만, 전체의 윤곽을 그려보거나 특정한 측면을 제시하려 노
력한다면, 적어도 기본 주제들을 명확히 하는 데에 조금이라
도 도움이 될 것이다.

그러려면 기존의 역사서술에서 물려받은 두 가지 한계를 극
복해야 한다. 첫째, 대서양 역사는 여러 나라들의 역사와 그 나

라들의 해외 확장을 결합한 것이며, 대서양 역사의 근본적인 특성은 서로 다른 4-5개 유럽 국가의 역사와 서아프리카와 아메리카 토착민들의 지역적 역사를 집합했다는 데에 있다는 가정이다. 하지만 대서양 역사는 부분들을 더한 것이 아니다. 대서양 역사는 부분들의 합보다 더 큰 의미를 가지고 있다. 대서양 역사는 영국적인 만큼이나 스페인적이며, 포르투갈적인 만큼이나 네덜란드적이고, 아메리카적인 만큼이나 아프리카적이다. 둘째, 공식적 구조와 법적 구조가 현실을 반영한다는 가정이다. 근대 초 세계에는 어디에나 공식적인 설계design들이 있다. 예컨대 국가적·중상주의적 경제 정책, 제국적·지역적 정부 행정, 조직화된 종교의 원칙과 제도에 대한 설계들이 있다. 그러나 이런 공식적인 설계들이 현실을 반영하는 경우는 드물다. 공식적인 구조 아래에는 고유의 패턴을 지닌 비공식적인 현실이 있다.[3]

내가 볼 때, 출발점은 대서양의 근대 초 3세기 전체를 아우르는 특정한 특징들을 정의하는 것이 불가능하다는 것을 깨닫는 것이다. 대서양 역사는 그 요소들과 근본적 성격이 역사가들 앞에 움직임 없이 놓인 정체된 역사적 구성단위가 아니다. 대서양 역사는 움직이는 세계에 대한 이야기이다. 대서양 역사의 두드러진 특징들은 되풀이해서 바뀌었다. 문제는 대서양 역사의 영속적 단층persistent strata을 추상적인 용어로 설명하기 위해, 근대 초 대서양 세계 전체를 한덩어리로 묶는 것이 아니다. 내가 생각하기에는 우리가 해야 할 과제는 그 반대이다. 추상적이고 메타역사적인 구조적 요소들을 설명하는 것이 아니라, 대서양 세계의 발전과 움직임, 역학을 단계적으로 표현하는 것, 다시 말해 대서양 역사를 하나의 과정으로 파악하는 것이다.[4]

이것은 결코 쉽게 이루어지지 않을 것이다. 대서양 세계는 셀 수 없이 많은 지역의 경제, 언어, 사회구조, 네덜란드 칼뱅주의에서 잉카의 태양숭배에 이르는 다양한 신앙, 핀란드의 사아미족Saamis에서 아프리카의 이그보족Igbos에 이르는 다양한 인종들로 구성된, 4대륙의 사람들과 환경을 포함하는 거대한 세계이다. 존 엘리엇John Eliott이 썼듯이, 대서양 세계의 편차, 즉 서반구에서 유럽 출신 정착자들 간의 편차, 정착자들 유형의 편차, 정착 환경과 토착 문화의 편차, 태도, 야심과 이상의 편차는 엄청나다.[5] 대서양 세계 전체를 아우르는 균일한 연대기나 적절한 시간 구분도 기대할 수 없으며, 이처럼 다문화적인 역사에서 패턴을 찾아내려는 노력을 하다보면 유사하거나 같은 종류의 특성을 비현실적으로 과장할 위험이 있다. 그러나 이러한 난점들을 감안하더라도, 적어도 대략적인 의미에서는 공통의 지형학과 일반적인 전체 패턴이 이 변화무쌍한 세계의 진화과정에 있었다고 나는 본다. 비록 유동적이고 고르지 않은 일반적인 전체 패턴일지라도, 대서양에서 패권을 잡기 위한 국가 간 경쟁이라는 친숙한 이야기를 초월하고 포섭하는 패턴이 있다. 예컨대 포르투갈과 일부 공유한 16세기 스페인의 정복과 헤게모니, 17세기 스페인 지배에 대한 잉글랜드, 네덜란드와 프랑스의 성공적인 도전, 대서양 북부 강대국들 사이에서 패권을 차지하기 위한 치열한 투쟁, 그리고 마침내 대영제국이 지배적인 경제대국과 식민대국으로, 승리를 통한 해군강국과 군사강국으로 부상한 것과 같은 패턴이다. 이와 마찬가지로, 유럽인들의 아메리카 대륙 정착과 서아프리카인들의 대규모 강제 이주도 친숙한 이야기이다. 그러나 이 잘 알려진 사건들 모두와 유럽, 아프리카, 아메리카의 다양한 환경에 공통적인 다른 층위의 역사, 다시 말해 더 넓고 더 일반적이고 포괄적이지만 본질적으로는 대서양 역사인 역사가 있다.

I

가장 넓은 의미에서 대서양 역사의 첫 단계는 유럽 문명이 명확히 정의되지 않았고 바깥 경계가 불규칙한 광활한 새로운 국경지대를 건설하고, 서반구와 영국령 군도의 바깥 경계에 살던 토착민들의 세계에 들이닥친 이야기이다. 이러한 항쟁이 벌어지던 국경지대의 삶은 문자 그대로 야만적이었다. 초창기였던 만큼 국경지대의 삶은 많은 지역에서, 언어와 사회적 관습이 다르고, 의도가 적대적이고, 포악하고 문명화되지 않은 이방인들과의 충돌이었다. 유럽인들, 아메리카 원주민들 그리고 아프리카 난민들 모두, 각자의 시각으로 서로를 그렇게 바라보았다. 유럽인들, 아메리카 원주민들, 아프리카인들 모두에게 상대방은 한때 존재했던 문명성을 파괴하려는 의도를 지닌 것처럼 보였다. 존 엘리엇의 말을 빌리자면, 라틴아메리카는 황무지가 아니었다. 정복이 황무지로 만들었을 뿐이다.[6]

이제 막 형성된 북부와 남부의 국경지대는 잔인한 전쟁터였고, 유럽에서 전쟁 경험이 풍부한 백전노장들도 보지 못했을 만큼 폭력적인 정복전쟁과 저항전쟁의 현장이었다. 유럽에서 벌어진 종교전쟁들과 30년 전쟁은 광대한 지역에 걸친 참사로 유명했지만, 유럽에서 만행은 주로 특정한 상황에 제한되었다. 예컨대 항복을 거부하거나 굶주린 병사들에게 식량 공급을 거부하는 마을을 공격하여 점령할 때 만행을 저질렀다. 무엇보다 서로 다른 신앙에 대한 두려움이나 증오에 휩싸였을 때, 광분한 병사들은 항상 통제하기 어려웠고, 격노한 군중도 탄압의 후폭풍처럼 끔찍한 참화를 일으킬 수 있었다. 하지만 공권력의 무자비함은 본질적으로 전략적이었다. 다시 말해 물리적 또는 문화적 학살을 저지르기 위해서가 아니라 권위를 역설하고, 규정을 강요하고, 본보기를 보임으로써 공포에 떨게 하기 위해서였다.[7]

대서양 국경지대의 전쟁은 다른 전쟁과 달리, 공권력의 고삐 풀린 무자비함과 초토화 전략, 문명의 상징들에 대한 열광적인 신성모독을 특징으로 하였다.

스페인만큼이나 영국과 네덜란드가 식민지에서 벌인 전쟁들도 야만적이었고 대량학살을 동반했다. 라스 카사스Las Casas가 라틴아메리카를 정복한 스페인 사람들의 광폭하고 잔혹한 행위들을 과장했다면("셀 수 없이 많은 무고한 희생자들을 난도질하고 산 채로 불태우는 엄청난 학살"), 영국과 네덜란드의 연대기 작가들은 과장하지 않았다. 리처드 해클루트Richard Hakluyt가 "대장장이"라고 부른 영국의 억센 전쟁 베테랑들은, 1622년 영국 거주민들이 학살당하자 "무례하고 야만적이고 벌거벗은 인간들"을 지구상에서 흔적도 없이 치워버리기 위하여 버지니아로 파견되었다. 영국 장교에 따르면, 그것은 "평화도 휴전도 없는 영원한 전쟁", 다시 말해 정복자들에게는 큰 성공이었던 절멸 계획이었다. 라스 카사스에 따르면, 스페인 사람들이 "어린아이들을 어머니의 가슴에서 낚아채고, 아이들의 발을 잡아채서 울퉁불퉁한 바위에 내던지고······ 강으로 집어던졌던" 것처럼, 노섬벌랜드 백작의 아들에 따르면, 영국인 침입자들은 포우하탄족Powhatan의 아이들을 물 속으로 집어던지고는 "총으로 머리를 쏘았고", 아이들의 어머니를 불태워 죽이는 대신 자비를 베풀어 칼로 찔러 죽였다.[8] 스페인과 영국 모두 고문하고 사지를 절단했다. 정착민들과 원주민들은 단지 적을 무찌르는 데 그치지 않고, 조이스 채플린Joyce Chaplin이 기록했듯이, 적의 인간성을 파괴하고 적을 하찮은 물질에 불과한 존재로 격하시키길 원했다.[9] 네덜란드인이라고 덜 잔인하지 않았다. 한 동시대인에 따르면, 뉴암스테르담 근처에서 무방비 상태에 있던 인디언 100명을 급습하여 죽인 후에 (어떤 아이들은 "부모의 눈앞에서 갈기갈기 찢겨졌고······ 그 조각난 몸은 불이나 물에 던져졌다") 탈출했던 소수를 살펴보니 "누군가는 손을 잃었고, 누군가는 다리를 잃었으며······ 누군가는 손으로 자신의 창자를 잡고 있었으니, 모두 어딘가 찢기고, 베이고, 불구가 되어서, 그보다 더 참혹한 장면은 상상할 수 없을 정도였다." 마을 전체 인구를 산 채로 불태운 네덜란드 병사들은 주민들의 두개골을 축구공으로 썼다고 한다.[10]

그러한 환경에서는 노예가 된 아프리카인들을 실어나르는

일이라고 해서 유별나게 더 야만적일 것도 없었다. 아프리카 노예들은 먼저 아프리카인들에게 사로잡혀서 그들의 고향과 쓰라린 이별을 하고, 유럽인들에 의해 수천 혹은 수만 명씩 이송되었고, 지독하게 파괴적인 노동제도 속으로 내던져졌다. 그리고 유럽인들은 이 제도에서 노예들에게 죽도록 일을 시키다가 이들이 죽으면 다른 노예들로 대체하는 것이 노예들을 오랫동안 유지하는 것보다 훨씬 수익이 높다는 것을 발견하였다.[11] 이러한 현상은 프로테스탄트이건 가톨릭이건 남쪽이건 북쪽이건 어디에서나 야비한 착취가 정착되는 동안 시종일관 계속되었다. 청교도들의 뉴잉글랜드도 멕시코나 페루와 다르지 않았다. 경건하고 점잖은 아메리카 초기 정착민인 윌리엄 브래드포드William Bradford는 뉴잉글랜드의 피쿼트 전쟁Pequot War에 대해 다음과 같이 기록하였다. "인디언들이 불에 타 죽는 것과 핏줄기가 흘러내려 그 불을 끄는 장면을 보는 것은 무시무시했고, 그 악취와 냄새는 끔찍했다." 청교도 군대의 사령관이 말하기를, "힘겹게 숨을 헐떡이는 영혼들이 너무 많이 쌓여 있어서…… 어떤 곳에서는 지나가기가 어려울 정도였다."[12]

그리고 지중해 변경지경에 좀더 가까운 다른 곳(파인스 모리슨Fynes Moryson이 1617년에 아일랜드라고 불렀던 버지니아해의 그 유명한 섬)에서는 엘리자베스 1세 시대 영국인들이 기를 쓰고 섬을 통제하기 위해서 "아일랜드 원주민 인구" 전체를 해치워버렸다. 니콜라스 캐니Nicholas Canny의 말에 따르면, 이는 "야만의 사막에서 문명의 오아시스"를 보존하려는 시도였다. 이는 또한 부분적으로 영국인들이 스페인과 포르투갈이 아메리카에서 겪은 경험에 대한 지식에서 이끌어낸 선견지명이었다. 영국인들은 신세계에 대한 이베리아 서사시의 열렬한 독자들이었기 때문에, 예컨대 아메리카에서의 초기 발견, 탐사, 문화적 대면, 정착에 대한 스페인, 이탈리아, 포르투갈의 자료들을 460쪽 분량의 리처드 에덴Richard Eden의 『신세계 혹은 서인도의 시대Decades of the Newe World or West India』(1555, 1577) 같은 책에서 요약하여 번역하였다. 그리고 호르헤 카니사레스-에스게라Jorge Canizares-Esguerra가 아주 상세히 밝혔듯이, 영국인들은 가톨릭을 악마로 취급했음에도, 개신교도인 영국인들은 신세계가 기독교의 구원을 기다리는 사탄의 영역이며 신세계의 사람들과 동식물은 사탄의 타락에 물들어 있다는 신념을 가톨릭교도인 스페인 사람들과 공유했다. 캐니에 따르면, 식민화와 착취의 과정과 결과에 대한 유럽인들 공통의 지식 장이 발달했다. "어떤 국가와 종교의 작가든…… 도덕적으로 의심쩍은 일들에 개입한 자신의 행동을 정당화하기 위해 동일한 권위에 의존했다."[13]

그리하여 에드워드 워터하우스Edward Waterhouse는 1622년 버지니아 원주민에 대한 복수 대학살을 기념하기 위해 페르난데스 데 오비에도Fernández de Oviedo의 『인도제국의 일반적 · 자연적 역사General and Natural History of the Indies……』(1535, 1557)를 직접 인용하면서 이 책에 크게 의존하였다. 이 책은 코르테스Cortés의 악랄한 멕시코 정복을 극찬하였다. 워터하우스는 오비에도가 묘사한 인디언의 게으름, 잔인함, 우울함, 유치함, 우둔함, 교활함을 인용하였다.[14] 그의 삼촌인 에드워드 워터하우스 경은 자신의 후견인이자 아일랜드 총독으로서 스페인의 토착민 지배에 익숙한 헨리 시드니 경Sir Henry Sidney과 동일한 시각을, 다시 말해 아일랜드인들은 "세상 그 어느 곳의 사람들보다도 더 미개하고, 불결하고, 야만적이고, 잔인하다"는 시각을 공유했다.

멀리 떨어진 지역에서도 유사한 사례를 쉽게 찾을 수 있었다. 1578년에 킬데어Kildare의 무라그매스트Mulaghmast에서 시드니가 허락한 무차별 살인과 유사한 사례를 체서피크에서 일어났던 영국과 인도의 허가된 전쟁에서 발견할 수 있는 것처럼, 1574년에 아일랜드의 래슬린 섬Rathlin Island에서 에섹스 백작이 600명의 무장하지 않은 남자, 여자 그리고 아이들을 학살한 일이 60년이 지난 후 코네티컷 주의 미스틱Mystic

에서 재현되었다. 험프리 길버트 경Sir Hymphrey Gilbert이 보고한, 패배한 아일랜드인들에 대한 처우에 딱 들어맞는 사례를 북아메리카에서는 발견할 수 없을 것이다. "아무도 그를 보지 못하도록 그의 텐트로 향하는 양쪽 길가에 아일랜드인들의 잘린 머리통들을 세워놓아서…… 그와 얘기하려면 죽은 아버지, 형제, 아이, 친척 그리고 친구의 머리가 놓인 도로를 지나가야만 했고, 그것은 그들을 공포에 떨게 했다."[15] 하지만 비슷한 사례는 상당히 있었다. 1622년 식민지 개척자들이 벌인 끔찍한 버지니아 복수 대학살의 일환으로, 대니얼 터커 대위Capt. Daniel Tucker는 겉으로는 파타위메케족Patawomeke 인디언들과 평화 조약을 맺기 위해 가서는 독이 든 와인으로 휴전을 건배해서 그곳에 모인 원주민 200여 명을 죽이고, 살아남은 50명을 죽이기 위해 다시 돌아와 "그들의 머리 부분"을 상패로 가지고 왔다고 한다.[16]

이와 반대되는 유사한 사례들도 있었다. 유럽인들, 스페인 사람들, 포르투갈인들과 마찬가지로, 영국인들 중에는 아메리카 원주민들의 인간성과 문명성을 지지하는 사람들 즉 원주민들의 문명을 이해하고 설명하려 하고, 그들의 복지를 지키고, 또 인종 간에 평화적 관계를 맺으려 했던 사람들이 있었다. 예컨대 바르톨로메 데 라스 카사스Bartolomé de Las Casas,

호세 데 아코스타José de Acosta, 안토니오 비에이라António Vieira, 토머스 해리엇Thomas Harriot 같은 이들이 그러했다. 하지만 이들이 제기한 문제들은 논쟁적이거나 이론적이었고, 무자비한 착취와 공포가 이끄는 전쟁의 현실세계에서는 기껏해야 아주 미미한 영향밖에 없었다.[17]

스페인 사람뿐 아니라 영국인, 네덜란드인, 프랑스인까지 관여한 피비린내 나는 충돌과 혼란은 상존하는 현실이 되었으며, 이것은 원주민이든 유럽인이든 대서양에 접한 지역에 사는 거의 모든 사람들이 직접 경험했거나 알고 있는 것이었다. 이 충돌과 혼란은 일상의 존재에 스며들고 일상의 의식에 파고들어, 이 세계는 아메리카 토착민의 것이든 유럽인의 것이든 문명의 정상적인 통치가 유보되고 인간관계가 원시적 충돌로 격하한 세계라는 전반적인 의식을 만들어냈다.

허드슨 만에서 파타고니아에 이르는 초기 유럽인들의 정복에서 잔혹함은 좀더 일반적인 생활환경의 일부분이었다. 두 세대 혹은 세 세대에 걸친 그 백 년 남짓한 기간에 서반구의 모든 접촉 가능한 지역들과 정착지들은 안정된 구조나 정체성 없이 유동적이고 비결정적이었다. 소유물에는 고정된 의미가 전혀 없었다. 영토권은 신뢰할 수 없었고, 알려지더라도 대부분 무시되었으며, 대개 영토권 분쟁이 일어났다.

17세기 동안 세인트키츠St. Kitts라는 아주 작은 카리브해 섬의 소유권은 프랑스인과 영국인 사이에서 7번이나 왔다 갔다 했다. 그리고 1713년에 처음 정착한 지 거의 한 세기가 지나서야 섬은 공식적으로 그리고 영구히 영국인 소유가 되었다. 비슷한 경우로, 네덜란드인들이 1628년에 정착한 토바고는 50년에 걸친 싸움 끝에 결국 프랑스인들이 인수하기까지 "영국인, 프랑스인, 네덜란드인, 그리고 콜란드인Courlandian(혹은 라트비아인Latvian)이 번갈아 가면서, 때로는 동시에 점령했다." 쿠라사오Curaçao는 스페인의 것이었다가 네덜란드의 차지가 되었다. 델라웨어 강에서 스웨덴의 식민지를 삼켰던 네덜란드령 뉴네덜란드는 1664년에 영국인들이 점령했다가 10년 뒤에 다시 빼앗겼지만, 결국 영국인들이 영구히 되찾아갔다. 브라질은 포르투갈의 것이었고, 그 후 24년 동안은 네덜란드 차지였다가 다시 포르투갈의 것이 되었다. 1624년에 왈룽인들Waloons은 당시 정확하게 야생의 해안Wild Coast이라고 불리던, 아마존과 오리코노Oricono 삼각주 사이의 가이아나Guyana로 나갔을 적에, 그곳에서 영국, 프랑스, 아일랜드, 스페인, 포르투갈, 네덜란드의 상인들과 식민지 개척자들, 그리고 모험가들이 땅과 사업장소를 차지했다가 잃어버리고 때때로 되찾는 모습을 보았다. 그것은 참화의 현장이었다. 지저분한 정착지, 버려진 거주지, 불타버린 요새, 그리고 밀림 습격과 소규모 전투를 겪으며 누더기가 되어 살아남아 안전한 장소를 찾는 자들. 이 싸움은 끊이지 않았고, 형체가 거의 없었다. 몇몇 인디언 부족들은 영국, 네덜란드, 아일랜드인들을 몰아내는 데 힘을 쏟던 스페인, 포르투갈 병사들과 느슨하게 연합하였다. 상대는 스페인을 물리치려는 오합지졸 영국 침입자들이었다. 스페인은 그와 동시에 네덜란드의 공격 대상이기도 했다. 네덜란드는 간신히 수리남Surinam, 에세퀴보Essequibo와 베르비세Berbice의 거래소를 통제할 수 있었지만 금방이라도 무너질 것 같았고, 여러 언어를 쓰며 질병이 들끓는 정착지에서는 통제권이 거의 없었다. 그 통제권이 나타나더라도 허술하고 한때뿐이었다. 이와 비슷하게 다른 곳에서도 소유권이 넘어가고 국가에 대한 충성은 약해졌다. 예전에는 스웨덴의 것이었던 델라웨어 강가의 식민지를 맡은 네덜란드의 총독 대행은, 브라질과의 전쟁에서 갓 돌아와 만약 네덜란드 권위자들이 그를 제대로 지지해주지 않는다면 그 땅을 영국, 포르투갈, 스웨덴 아니면 덴마크에게 넘겨버리겠다고 선언했다. 그는 "내가 누구의 시중을 들건 무슨 상관인가" 하고 말했다.[18]

서반구 전체에 걸쳐 사회적 난동과 혼란의 시대였다.[19] 1713년 이전 영국령 카리브해 제도에선, 50명이 넘는 노예들이 가

담하여 흑인과 백인을 모두 죽였던 7번의 대규모 노예 반란과 계획 단계에서 조기에 중단된 6번의 반란이 있었다. 1675년 바베이도스Barbados에서 발생한 폭동은 가라앉기 전까지 흑인 35명을 화형, 교수형, 참수형으로 처형하는 것으로 끝이 났다.[20] 도제살이 하인들Indentured servants도 마찬가지로 저항했다. 이미 1629년에 그들은 네비스Nevis에서 주인을 뒤로하고 "자유, 즐거운 자유"를 외치며 수영을 해서 스페인 침입자들을 반기러 나갔다. 이 섬 저 섬으로 떼를 지어 몰려다니던 아일랜드 출신 하인들(1678년에 영국령 리워드 제도English Leeward Islands의 전체 백인 인구의 3분의 1이 아일랜드인이었다)과 영국인 주인에게 경멸당하고 짐승 취급을 당하던 이들이 계속해서 일어난 난폭한 폭동의 선두에 섰다. 1692년 크레올 노예들과 협력하여 바베이도스 농장주들을 제압하고 섬을 장악하려던 그들의 음모는 92명의 사형, 거세를 통한 4명의 죽음 그리고 다른 방법을 통한 18명의 죽음으로 끝났다. 한때 이들은 프랑스인들과 힘을 합해 영국인들을 공격하기도 했다.[21]

시간과 장소에 따라 달라지던 새로운 경계지대에서 문명성은 혼란한 가운데 길을 잃었다. 17세기에 7개 국가에서 온 유럽인들이 원주민과 투쟁하고 있던 "아마조니아Amazonia"(브라질 북부)의 삶은 "불안정하였고, 사회 정체성은······ 예측 불가능하고 유동적이었고 혼합적이었다." 이들이 만나는 접경지역은 어디나 "아일랜드인, 영국인, 프랑스인, 포르투갈인, 스페인 사람들과 집시 이주민들, 그리고 아라와크족Arawak, 게Gê어와 투피Tupi어를 쓰는 사람들이 뒤섞인 큰 언어 냄비"와 같았다. 17세기 대부분 동안에 "피로 물든" 영국령 자메이카는 해적들의 집결지였으며, 영국의 식민지 가운데 가장 무법지대였다. 그리하여 영국령 자메이카는 인도양의 소돔이요, 네드 워드Ned Ward에 따르면 "창녀들과 범죄자들 그리고 주정꾼들만으로 가득 찬 우주의 똥더미"라고 불렸다.[22] 스페인의 카리브해 제도와 태평양 해안 사이를 잇는 파나마 운하의 연결부인 포르토벨로Portobelo와 놈브레 데 디오스Nombre de Dios는 함대가 도착하기 전에는 "열대의 전염병이 발생하기 쉬운 장소…… 뜨겁고 구역질나는 판자촌"이었으나, 함대가 도착하자 요란한 말다툼과 위험한 도박의 장소가 되었다. 뉴네덜란드에서 무역이 이루어지던 시기는, 무자비한 무역상들이 매복해 있다가 막 도착하는 인도인 모피 무역상을 습격하거나, 뇌물을 주고 매수하거나, 약탈하거나 때리는 소동의 시기였다. 매매는 광란이 되었고, 도박은 야만이 되었으며, 치안판사는 습격을 당하였고, 원주민이건 네덜란드인이건 술취한 여성들은 말다툼과 소란에 끼어들었으며 임시감옥에 던져질

때까지 길거리를 배회하였다. 어디서나, 겉보기에 조용한 지역조차, 일반적으로 통용되는 인간관계의 안정적 질서는 엄청난 압력을 받았고 약화되었으며 대개 실패하였다.[23]

　이러한 모습은, 생존을 위해서 이국적인 외국인들, 무뢰한들, 문명화되지 않은 사람들, 그리고 교양 없는 사람들과 끊임없이 투쟁하였던 아메리카 원주민, 유럽인, 아프리카인 모두가 개입한 야만의 세계였다. 아메리카 원주민, 유럽인, 아프리카인, 이 세 집단은 스스로 불결함과 야만 속으로 추락하고 있다고 느꼈다. 이들 모두는 한때 자신이 알았던 문명성에 집착하거나 그것을 회복하려고 어느 정도 노력하였다. 일부는 아프리카 건축 형식을 따라 만들어진 노예 구역에서 아프리카의 친족 유대관계, 언어, 마술, 음악과 춤을 지켜나가는 사람들 속에서 문명성을 찾고 회복하려고 하였다. 다른 일부는 영국 지방의 방식대로 건축된 뉴잉글랜드에서, 또 다른 일부는 스페인의 독특한 도시 공간을 부분적으로 복사한 도시에서 문명성을 찾고 회복하려 하였다. 어떤 이들은 담배 농장에서 그러한 시도를 하였는데, 담배 농장주들은 노예단지에서는 전통적인 지주의 삶을 따라하는 것이 불가능함에도 잉글랜드 젠트리 계층을 본보기로 삼으려 했다. 그리고 어떤 존재가 "문자 그대로 똑같이" 지켜지지 못할 때는, 제임스 록하트James Lockhart가

라틴아메리카 사회에 대해 썼듯이, "유사하게 취급받을 수 있는 것들은 그렇게 취급받았다."[24] 문명화된 친숙한 과거를 상기하는 일에 집착함으로써 방향을 잃어버린 식민지의 세계로부터 탈출하고자 하는 충동을 나타낸다는 점에서, 그러한 시도는 본능적이라고 할 수 있다.

아이다 알트먼Ida Altman은 문화적 전이와 보존에 대해 탁월한 설명을 제공한다. 알트먼은 과달라하라와 마드리드에서 멀지 않은 마을인 브리훼가Brihuega에서 온 이민자들이, 뉴스페인의 제2의 도시인 푸에블라Puebla에서 자신들만의 "독특한 전통과 정체성"—그들에게 친숙한 사회적 유대와 경제활동의 형태—을 보존하고, 자신들이 이전에 알던 것과는 근본적으로 다른 세계에 적응하려고 노력하면서 가능한 한 "브리훼가-푸에블라 연계"를 유지하려는 것에 대해 설명하였다.[25] 그리고 리처드 던Richard Dunn은 17세기 후반에 열대 카리브해 농장에서 새롭게 설탕 부자가 된 귀족들의 지기 싫어하는 삶을 생생하게 묘사했다. 이들 신생 귀족은 최신 유행인 숨 막힐 듯한 스커디드 코트skirted coat와 두꺼운 조끼, 무릎에 반짝이는 리본이 달린 짧은 바지를 입고, 가죽 장갑을 끼고 높은 부츠를 신었고, 부인들은 페티코트petticoat, 뻣뻣한 코르셋, 그리고 요란하게 장식한 외투를 겹겹이 입었으며, 이들 남

녀 모두는 정성 들여 장식한 모자를 써서 그늘을 만들었다.[26]

　이러한 모습은 만남 초기 국경지대의 공통 경험이었다. 그러나 그 결과는 서반구에 국한되지 않았다.

　16세기에 신세계에 대한 복잡하고, 선별적이고, 일관성이 없고, 변덕이 심한 유럽의 반응에 대해서 존 엘리엇은 섬세하고 날카로운 통찰력으로 다음과 같이 썼다. "아메리카를 관찰하는 유럽은 무엇보다 유럽 자신을 관찰하는 것이었다. 그리고 현실을 왜곡하는 두 개의 거울 가운데 하나에 비친 유럽을 관찰하는 것이었다." 여기서 두 개의 거울 가운데 하나는 유럽 자신의 거울, 즉 인류가 타락하기 전의 순수함이라는 이상적인 과거의 거울을 말하며, 다른 하나는 유럽도 풍습이나 종교가 야만적이었던 시절이라는 실제 과거의 거울을 말한다. 그럼에도 유럽의 가치와 신념은 "충분히 풍성하고 다양했으며, 완고하지도 철저히 배타적이지도 않은 세계와 인류라는 이미지에 새로운 사실과 인상을 비교적 고통 없이 받아들이기 위한 공간을 남겨둘 만큼 때로는 자기모순적이기도 했다."[27] 16세기 말에는 이렇게 갈라진 틈 사이로 아메리카의 원주민과 경이로움, 잔인한 정복에 대해 여러 언어로 쓴 생생하고 더러는 비현실적이거나 논쟁적인 서술이 쏟아져 들어왔다. 라스카사스의 가장 신랄한 소책자인 『인도의 파괴에 대한 가장 간

략한 서술The Most Brief Account of the Destruction of the Indies』은 스페인 사람들이 지방을 돌면서 어떻게 온순하고 방어할 줄 모르는 인디언들을 죽이고 고문하고 그들의 세계를 불태웠는지를 서술하였으며 1552년에 출간되었다. 1600년경에 이 소책자는 플랑드르어, 프랑스어, 영어, 독일어, 라틴어, 이탈리아어로 번역되었다. 이즈음에 생소한 아메리카에 대한 지식과 야만적인 스페인 정복 이야기는 서유럽의 읽고 쓸 줄 아는 식자층을 통해 복잡한 효과를 발휘하면서 널리 퍼져나갔다. 이 전파과정에서, 해외에서 벌어지는 투쟁의 실상을 알지 못한 네덜란드의 작가들은 아메리카 원주민들을 유럽 제국의 희생자로 간주하는 경향을 나타내었고, 네덜란드가 문학, 예술, 철학에서 꽃피운 위대한 성과를 공유하는 데에 있어서 핵심 역할을 하였다.

16세기와 17세기에 네덜란드인들은 엄청나게 다양한 맥락에서 신세계를 읽거나 쓰거나 묘사하였다. 네덜란드인들은 아메리카를 수많은 지리서, 역사서와 시에서 표현하였고, 팸플릿, 신문논평, 민요에서, 그리고 회화, 판화와 지도에서 묘사하였다. 무엇보다도 네덜란드인들은 아메리카를 공적 담론에 포함시켰는데, 아메리카라는 이상, 즉 신세계에 대한 다른 견해들과 분명하게 대립하는 이상이 정치논쟁, 경제정책과 황금시대 Golden Age 공화국에 대한 상상력이 풍부한 저술들에서 두드러지게 나타났다.

네덜란드 작가들은 콜럼버스, 베스푸치, 코르테스의 글, 그리고 멕시코에 대한 고마라Gómara의 글, 페루에 대한 자라테Zárate의 글, 브라질에 대한 슈타덴Staden의 글을 출간하였다. 그리고 널리 보급하기 위해 대량으로 인쇄한 이들의 도해서와 지도에 최신 발견들을 반영하였다.[28]

오렌지공 윌리엄처럼, 네덜란드인들은 스페인이 어떻게 아메리카에서 원주민들을 짐승처럼 다루었고, 너무나 끔찍한 난폭행위와 폭동으로 "2,000만 명이 넘는 원주민을 죽음으로 몰아넣고, 네덜란드의 30배가 넘는 토지를 황량한 불모지로 만들었는지"를 상세히 밝히려는, 다시 말해 스페인 정복의 가장 뒤틀린 초상화를 그려내기를 원하는 특별한 국민적-정치적 이유들이 있었다. 그러나 논쟁적이지는 않지만 다른 언어들로 쓰인 유사한 저술들이 있었다. 이 저술들은 아메리카 원주민의 삶과 아메리카의 동식물을 기괴하고 이국적이고 환상적인 것으로 묘사하였는데, 토머스 해리엇Thomas Harriot의 『버지니아에 대한……짧지만 진실한 보고서Bridfe and True Report of ... Virginia』(1588)에서 가장 선명하고 대중적으로 묘사되었다. 해리엇의 저술은 처음에는 리처드 해클루트의 백과사전적인 『중요한 탐험들Principall Navigations』(1589)에 처음으로 실렸으며, 이어서 1590년에 테오도르 드 브리Theodor de Bry의 텍스트와 그림을 포함하는 10권짜리 『아메리카America』(1590-1618)의 1부에 실려 라틴어, 영어, 프랑스어, 독일어로 출간되었다.[29]

이렇듯 쏟아지는 출간물과 인기 있고 종종 충격을 주는 시각이미지는 매혹적이고 도발적이었다. 이것들은 유럽인의 상상력을 넓혀주고, 인간과 자연에 대한 사고를 자극하고, 모험심과 기업가 정신에 대한 선택권을 늘리고, 일반적으로 일상생활의 가능성과 지평을 확장하는 효과(복잡한 효과이긴 하지만)가 있었다. 각 지역의 특수성에 따라 다양한 방식으로 서유럽 대부분은 지리적으로 먼 곳에서 이루어지는 문화적 만남을 알게 되었고, 많은 유럽인들이 그 만남의 의미와 함의에 대해 깊이 생각했다.

구제할 수 없을 만큼 야만적이고 기괴한 환경을 가진 세계가 아니라, 비록 천하고 야만적이라는 점에서는 과거 유럽인들과 다르지 않지만 타고나기를 순수하게 타고난 야만인들의 소박하고 구속이 없는 세계, 이러한 문화적 변경지역의 긍정적 면을 본 사람들은 근대성의 악으로부터 자유롭고 사회적 개혁과 재구성에 열려 있는 환경을 상상하였고, 또한 기독교의 목적 달성에도 열려 있어서 세상과 동떨어진 채 새로운 예루살렘을 세울 수 있는 곳을 상상하였다.

이 혼란의 시기에 아메리카가 낳은 유토피아주의만큼 유럽인의 상상력에 엄청난 영향을 미친 것도 없다. 스페인의 가장 계몽적인 사상가들 다수는 스페인 교회 안에서 일어난 강력한 개혁운동, 이베리아 반도를 휩쓴 천년왕국운동의 심오한 사조, 그리고 토머스 모어의 『유토피아Utopia』로부터 현저한 영향을 받아, 신세계라는 순수한 땅에 진실로 사도적인 신의 왕국을 건설하는 신이 주신 기회, 즉 진실로 신이 주신 의무를 발견하였다.[30]

유토피아주의는 여러 형태로 나타났다. 멕시코에서는 재속 성직자이며 아우디엔시아 판사인 바스코 데 퀴로가Vasco de Quiroga가 토머스 모어의 이상을 본떠서 이상적인 인디언 공동체를 설립하였고, 프란체스코회 수사들은 원주민들의 존재를 세상의 종말에 이르는 과정에서 결정적인 계기로 보고 "원주민들에게 인간 미래의…… 중심에서 가장 핵심적이고 특권적인 역할을 맡겼다."[31] 적어도 아즈텍 정복 이전의 멕시코 원주민 사회는 그들의 연대기에 따르면 원시적이고 평화롭고 질서가 잘 잡힌 사회였다. 원주민 사회에는 사적 소유권이라는 저주가 없었고, 사치, 탐욕, "지위와 명예"를 향한 지독한 열정으로부터 자유로웠다. 그리하여 원주민들 자신은 기독교에 대한 무지를 제외하면, 섭리에 따라 다가올 천 년을 완벽하게 준비하고 있다고 생각했다. 따라서 프란체스코회 수사들은 필요하다면 폭력을 동원해서라도 원주민들을 진정한 종교로 개종시키고 또한 원주민들이 아즈텍 이전의 순수성을 지킬 수 있도록 도와주려 하였다. 그리고 예수회가 파라과이에서 과라니족Guarani에게 엄격하게 통제된 "축소판" 신정정치를 시행했던 것처럼, 프란체스코회 수사들은 원주민들이 천년왕국의 약속을 성취하도록 하기 위하여 스페인의 영향에서 벗어나도록 도왔다. 예수회처럼 프란체스코회 수사들은 불가피하게 왕권과 충돌하였고, 수사들의 노력은 강압적으로 진압되었다. 그러나 스페인의 수도원과 아메리카의 선교단에서 떠올린 멕시코의 기독교 유토피아에 대한 그들의 꿈은 좀처럼 사라지지 않으면서 높게 평가받았다. 프란체스코회에서 가장 위대한 유토피아주의자인 토리비오 모토리니아Toríbio Motolínia 수사는 프란체스코회 수사들을 자유롭게 놓아둠으로써 원주민들이 잃어버린 거의 사도와 같은 순수함을 회복하도록 돕고, 그럼으로써 최후의 심판의 도래를 앞당기기 위하여, 황제 찰스 5

세 앞에서 자신의 의무에 대해, 다시 말해 자신이 "인류의 결정의 순간"이라고 부르는 것에 대해서 강론하였다.[32]

다양한 프로테스탄트 유토피아주의자들의 천년왕국에 대한 희망도 전혀 다르지 않았다. 다음을 보면 현저하게 닮았음을 알 수 있다. "종말론적 확신은 청교도의 삶에 심원한 차원을 제공하였다. 종말론적 확신은 설교와 주석에 넘쳐났고, 일기, 순교록, 심지어 시까지 물들였으며, 때로는 가장 개인적인 수준에서 인생 문제들을 결정하였다." 청교도들에게는 뉴잉글랜드 성도들의 모임인 회중교회주의congregationalism는 그 자체가 천년왕국이 다가오고 있다는 징표였다. "다가올 영광의 예언자"로 불린 위대한 신학자 존 커튼John Cotton은 매주 목요일 설교에서 주님의 보편왕국과 거룩한 권능으로의 이행이 임박했음을 예언하였으며, 그보다 지위가 낮은 설교자들은 주님의 제5왕국이 정확히 언제 나타날지를 예언하려고 노력하였다.

한편 존 엘리엇John Eliot 목사는 요한계시록과 에스겔서를 읽다가 성령이 충만해져서 공위시대 잉글랜드의 열광적인 천년왕국주의에 기뻐하였으며, 인디언들이야말로 주님께서 다스리실 미래를 앞당기기 위해 가장 실제적인 단계들을 밟아가는, 주님에게 돌아올 잃어버린 히브리인들이라고 확신하였다.

엘리엇 목사가 세운 고립된 인디언 기도처소들은 주님의 재림을 고대하는 전 세계적인 반응의 본보기로 설계되었다. 엘리엇 목사는 1649년 스튜어트 왕국이 무너짐으로써 잉글랜드가 "천년왕국의 시작 지점"이 되었다고 확신하였고, 자신의 저서 『그리스도 왕국Christian Commonwealth』에서 잉글랜드에서 자신이 설계한 기도처소들을 다가올 "주 예수의 왕국"을 위한 원형으로 채택할 것을 주장하였다. 1660년에 그가 행한 제5왕국 설교들("그리스도는 영국 왕실의 유일한 상속자이시다")은, 프란체스코회 수사들이 찰스 5세 정부에게 부담이었듯이, 찰스 2세의 왕정복고 정부에게 당혹스런 방해물이었다. 국왕의 분노를 예감한 매사추세츠 지방행정부는 입수할 수 있는 엘리엇의 모든 출판물을 수거해서 파괴하였고, 이 선지자가 매사추세츠에 있는 어떤 것과도 관계를 맺지 못하도록 강제했다.[33]

엘리엇은 유럽에서 좌절한 뒤 야만적인 아메리카 국경지대에서 완벽한 공동체를 위한 궁극적인 장소들을 발견한 여러 프로테스탄트 유토피아주의자 가운데 한 사람에 불과하였다. 최초로 이주한 영국 청교도들, 메노파교도Mennonites, 퀘이커교도, 장미십자회원Rosicrucians, 라바디파[Labadists, 프랑스의 장 드 라바디Jean de Labadie가 주도한 종교 공동체], 모라비아교도Moravians, 아미쉬교도Amish, 형제교회로부터 출발한 던카드교도Dunkards, 카스퍼 슈벵크펠터를 따르는 슈벵크펠터파Schwenkfelders, 이들 모두는 영적으로 소진된 유럽 지역들에서 다시 불붙은 사도의 순수성을 향한 복음주의적 열망을 그들이 원시적 순박함을 간직하고 있다고 여긴 신세계의 지역들에 투영하였다. 이들 가운데 네덜란드인 피테르 코르넬리우스 플로크호이Pieter Cornelius Plockhoy보다 더 열정적이고 치명적인 경우는 없었다.

암스테르담의 "달콤한 휴식" 선술집에서 자유사상가와 시인 친구들과 함께, 플로크호이는 1640년대에 전 세계에 어디에서나 복제할 수 있는 모범적인 공동체, '완벽하게 평등하고, 절대적으로 관대하며 모든 것을 공유하는 공동체', 다시 말해 사람들이 자신이 할 수 있는 것을 기여하고 자신이 원하는 것을 가져갈 수 있는 공산주의적인 복지 공동체를 설계하였다. 이러한 고귀한 비전에 자극을 받아, 플로크호이는 둔감한 홀랜드에서 먼저 자신의 꿈을 실현하고자 하였다. 그리고 홀랜드에서 실패하자, 지칠 줄 모르는 만능 개혁가인 하틀리브Hartlib의 도움을 받아 잉글랜드에서 크롬웰에게 어떻게든 자신의 사례를 사적으로 소개하고자 노력하였다. 호국경Lord Protector 크롬웰이 죽자, 플로크호이는 네덜란드의 메노파교도들의 입김이 센 지역이었던 쾰른의 대주교에게로 관심을 돌렸다. 쾰

른에서도 그는 자신의 계획을 후원할 사람을 찾지 못하였다. 결국 마지막으로 플로크호이는 소수의 제자들과 함께, 호어킬 Whorekill이라고 불리는 델러웨어 강의 버려진 개간지로 후퇴하였다. 1664년에 호어킬에서 플로크호이가 지구상의 삶을 확 바꾸려고 계획했던 공동체는 영국인에 의해 정복됨으로써 사라지고 말았는데, 공식적으로 "흔적도 없이" 사라졌다고 보고되었다.[34]

프로테스탄트 분파들을 휩쓸었던, 특히 유럽의 밀집된 사회 환경에서 스스로를 소진하려는 충동이었던 급진적인 메시아적 유토피아주의가 가장 많은 열매를 맺은 곳은 펜실베니아였다.

펜실베니아의 메시아적 유토피아주의는 그때까지 완벽의 참사회Chapter of Perfection라고 알려졌던 트란실바니아의 지식인 요하네스 켈피우스Johannes Kelpius와 그의 제자들이 1694년에 도착하면서 시작되었다. 켈피우스는 비밀결사단체인 장미십자회Rosicrucian Order의 대표적 회원이자 마술사이며, 또한 알트도르프 대학의 마지스터[Magister, 지금의 박사학위에 해당]였다. 켈피우스는 제자들과 함께 하구가 내려다보이는 필라델피아 외곽의 산마루에 통나무로 둘러싸인 수도원을 건설하였으며, 수사들은 여기서 마법의 숫자와 비교秘敎의 상징들에 관해 묵상함으로써 황홀경 가운데 완전함을 찾으려

했다. 수사들은 원시적인 연구실에서 병을 치료하고 생명을 영원히 연장하려는 목적으로 화학 실험과 약품 실험을 수행하였다. 그리고 수도원 옥상에는 황혼부터 새벽까지 망원경을 설치하여, 성경에 나오듯이 한밤중에 신랑이 찾아올 때 등잔이 준비되어 있도록, 다시 말해 기다리던 구세주를 맞이할 준비가 되어 있도록 하였다. 그러나 요한계시록의 구절을 따라서 '야생의 여인'이라고 다시 이름 붙인 켈피우스 종파의 중심부는 수도원의 휴게실에도, 수사들의 방이나 연구실에도, 수도원 옥상 세테른바르트sternwarte에도 없었고, 켈피우스가 인근 언덕에서 발견한 동굴에 있었다. 그 동굴에서 켈피우스는 펜실베니아에 도착한 후에 일생의 대부분을 보냈으며, 평범한 영혼들에게는 가려져 있지만 그에게는 기호, 상징, 숫자를 통해 드러나는 진리에 관해 명상했다. 왜냐하면 켈피우스는 계시록의 여인(순수한 교회)이 달아난 야생이 바로 펜실베니아라고 확신했기 때문이다. 켈피우스는 펜실베니아에서 인류가 "사랑하는 주 예수님을 발견"할 것이라고 믿었다. 바로 이곳에서 진실한 기독교도들은 불철주야 등잔을 정돈함으로써 신랑을 기다리고 천국잔치를 준비해야 한다고 켈피우스는 믿었다.[35]

II

그러나 서로 다른 장소에서 서로 다른 시간에(사실상 명확한 연대기는 없다) 여기저기 흩어진 유럽-아프리카-아메리카 세계는 점차 변화하였고, 기나긴 발전과 통합의 단계에 접어들었다. 해외에서 절대권력을 추구하면서 획일적으로 명령을 강요하는 제국 정부가 없었기 때문에 안전성과 발전의 수준이 높아졌다. 어디서나 공적인 규제와 명령은 지역 상황에 따라 수정되고 타협되고 재조정되었다. "나는 복종한다. 그러나 나는 집행하지 않는다"는 엄격한 법령들과 직면한 스페인-아메리카 행정관료들의 신조였다.

그래서 무수히 많은 조정과 타협, 급조된 제도들을 통해, 이베리아 반도의 토착민들은 차츰차츰 침입자와 정복자에게 길들여졌다. 불공평하게도 토착민들은 자유 노동자나 강제 노동자 혹은 속국인으로서, 또한 기독교 문명이라는 주형 안에서 자신들의 토착 문화의 핵심 요소들을 보존하는 전승자로서 길들여졌다. 하나의 보편적 언어가 "아마조니아"에서 발전했는데, 이 언어는 "조상의 언어를 통해 (투피) 인디언들을 기독교와 연결함으로써…… 포르투갈어, 투피어, 투피남바어의 강렬하고 역동적인 힘을 받아들였다." 영국령 북부에서는 토착민들이 문화 수용의 중간지대를 유지하기 위해 노력하였지만 결

국 실패하였고, 뉴프랑스에서는 수도修道성직자들의 노력으로
성공하였다. 예전에 자메이카는 무법자 해적들의 떠들썩한 소
굴이었고, 자메이카의 주요 항구는 매음굴과 선술집의 온상이
었으며, 자메이카의 오지들은 여기저기에 흩어진 변경지대 농
장들과 서로 쟁탈을 일삼는 목장들로 가득 차 있었다. 그러나
18세기 초에 이르자 자메이카는 사회경제적 문제들에 둘러싸
여 있기는 하지만, 5만 5,000명의 노예를 통제하는 대농장주
들이 지배하고, 영국으로 향하는 무역 항로와 대서양 무역의
주요 항로와 긴밀히 연결된, "전형적으로 균형 잡힌 설탕 사
회"가 되어 있었다. 북부와 남부에서는 안정적인 공동체가 건
설되고 번영하였다. 북부에서는 잠재적인 항구 도시와, 플랜테
이션과 농장 마을들을 잇는 안전한 연결망이 건설되었고, 남
부 도시들에서는 "스페인식 삶의 일반적인 구조들"이 형성되
었다. 멕시코시티와 리마, 보고타와 구아테말라와 산토도밍고,
파나마, 키토Quito, 쿠스코Cuzco, 과달라하라 산티아고 데 칠
레Santiago de Chile, 이들 모두는 존 워맥John Womack의
표현에 따르면 스페인 세력의 방어거점이 되었다. 이들 가운
데 인디언 배후지Indian hinterlands를 포함하는 가장 큰 도
시는 유럽에서 가장 큰 광역도시권에 필적하였다.[36] 일부 지역
에서는 아직도 막연하고 논쟁의 여지가 있었지만, 국경은 예

전보다 더 확고해졌고, 일부 국경은 국제법과 국제조약에 따라 경계가 정해졌다. 기존의 토지권에 대한 소송은 승소한 경우가 없었고, 이러한 현상은 17세기 말부터 7년 전쟁 이후까지 지속되었다.[37]

한때 무질서했던 아메리카의 개척지들이 점차 떠오르는 대서양 체제로 통합된 것은 무엇보다 대양의 지형 덕분이었다. 바람과 대양의 해류가 남부에서는 서쪽 방향으로 북부에서는 동쪽 방향으로 휘몰아치면서 시계방향으로 순환하는 현상은 내륙 깊은 곳까지 미치는 물길(엘베 강과 라인 강, 아마존 강과 오리노코 강Orinoco, 니제르 강과 콩고 강, 미시시피 강과 세인트로렌스 강)을 통해 광활한 대륙 배후지들과 연결되어 대서양을 응집된 통신 체계로 이끌었다. 피에르 쇼뉘의 표현에 따르면, 대서양은 동부와 서부를 잇는 "변하지 않는 연결로"가 되었고, 역사지리학자 마이닉Meinig에 따르면 "단일한 행동무대"가 되었다. 대서양 양안의 생산자와 소비자를 연결하는, 견고하게 확립된 무역로는 대서양을 두려운 장애물이 아니라 공통의 통로로 만들었다. 자크 고드쇼와 로버트 팔머가 대서양 역사에 대한 저서에서 언급했듯이, 무역로 덕분에 대서양은 유럽의 많은 내륙지역보다 더 쉽게 침투하고 더 쉽게 건널 수 있는 안정적인 통로가 되었다.[38]

중상주의 이론, 국가 간의 경쟁, 민족주의 역사서술은 안정적인 범유럽-아프리카-아메리카 경제체제가 유럽 중부에서 영국, 이베리아, 아프리카 서부를 거쳐 카리브해를 서쪽 기점으로 삼는 아메리카 대륙에 이르기까지 광대한 영역에서 발전했다는 사실을 가린다. 경쟁 국가들 간의 상업적 적개심과 경쟁적인 이해관계에도 불구하고, 대서양 세계가 성숙하면서 발전한 범대서양 상업망은 수많은 요소들이 복잡하게 뒤얽힌 망이 되었다. 그 연결망은 너무나 복합적이고 너무나 많아서 목록으로 만들거나 일일이 열거하거나 완전하게 요약할 수는 없고, 오직 예시할 수밖에 없다.

예를 들어 아프리카계가 인구의 5퍼센트도 되지 않는 뉴잉글랜드는 농업생산물의 주요 시장이 서인도 제도의 노예플랜테이션이었던 까닭에 경제적으로 살아남기 위해 아프리카 노예무역에 의존하였다. 또한 뉴잉글랜드는 이베리아 반도 북부의 항구들로 출하되어 그곳에서 노새에 실려 내륙의 오지 마을로 운반되는 생선 화물을, 주로 포르투갈과 스페인 시장에 의존하였다.[39] 마찬가지로 하부 남부Lower South에서 생산되는 북아메리카 쌀은 독일의 주들을 "소비의 중심지"로 삼아, "페루와 아르헨티나에서 흑해 해변에 이르는 광대한 지역"에서 거래되었다.[40] 상부 남부Upper South에서 생산된 담배 역시 여러 해협을 거치면서 발송되고 재발송되었다. 잉글랜드에서 라인란트까지, 그리고 스톡홀름에서 마르세이유까지 소비자들에게 전달되는 북아메리카산 담배는 유럽 국가들의 국고의 절반을 채웠으며, 담배의 성공은 18세기에 "유럽에서 가장 규모가 큰 식민지 재화 재수출업자"가 된 프랑스 총괄징세청부업자(Farmers General of France, 왕국의 간접세를 일정금액으로 도급을 받아 자신의 계산에 따라 세금을 거두는 일단의 민간업자들)에 크게 의존하였다. 이와 비슷하게, 대서양 무역이라는 소용돌이 속에서, 런던의 은행가들은 포르투갈의 은행가들과 함께 브라질로 향하는 노예무역을 장악했고, 브라질 주요 항구들에서 활동하는 대다수 상인들은 영국인과 그보다 정도는 덜하지만 기타 외국인들이 자금을 대는 회사의 대리인이었다.[41]

근대 초 대서양 상업경제는 여러 중심부를 가진 역동적 경제였다. 영국의 대서양 세계는 영국의 공식적인 대서양 제국보다 훨씬 더 크고 복잡하였다. 우리가 잘 알고 있는 18세기 중엽 런던 상인조합과 스코틀랜드의 지부들은 노예, 설탕, 담배, 고무와 식료품을 취급하였다. 그들이 플로리다에 플랜테이션을 개설하면서 생긴 부채는 아프리카의 노예시장에서 얻은 이득으로 상쇄되었다. 독일의 군대에 빵을 공급하면서 벌어들인 이득은 카리브해 제도의 토지를 거래하는 데 투자되었다. 설탕 생산과 매매로 벌어들인 자금은 상업차관을 받기 위한 자본이 되었다.[42] 런던 상인들만 대서양 전체를 염두에 두고 사업을 벌이는 것은 아니었고, 또 런던 상인들만 다중 무역을 하는 것도 아니었다. 브리스톨의 "배와 선원들은 라브라도Labrador에서 앙골라Angola까지, 쿠라사오Curaçao에서 케이프베르데 제도Cape Verde Islands까지, 그리고 버지니아에서 암스테르담에 이르기까지 어디서나" 발견되었다. 브리스톨 상인들은 특히 필라델피아, 자메이카, 뉴펀들랜드, 그리고 카리브해 제도의 여러 섬들과 밀접한 관계를 유지하였다. 그리고 영국 상인들은 리스본과 오포르토에서 조약과 치외권법으로 보호를 받아, "포르투갈의 모국과 식민지 경제 곳곳에 침투하였다."[43]

　기존 무역로를 통해 이루어진 대서양 무역은 18세기에 그 활력과 집중력이 크게 높아졌다. 18세기 중엽에는 연간 배 1,000척이 잉글랜드의 범대서양 수송에 참여하였으며, 그 가운데 설탕무역에만 459척이 참여하였다. 1773년에 프랑스는 식민지 재화를 수송하기 위하여 대서양에 1,359척을 보냈다. 적어도 연간 3,500척 이상이 대서양 포도주 무역에 관여하였다. 대서양 포도주 무역은 영국, 덴마크, 네덜란드, 프랑스, 스페인, 포루투갈, 이렇게 6개국에서 아조레스 제도Azores와 카

나이아 제도Canaries로 수송되었고, 이곳에서 유럽, 아프리카, 아메리카 대륙의 104개 항구에 전달할 화물을 적재했다. 포도주 수송 하나만으로 복합적이고 안정적인 연결망 혹은 연결망 체계가 형성되었다. 그리고 네덜란드 중간상인과 선적인, 노예상인과 대농장주, 정착민은 두 세기 동안 아시아보다 대서양 사업에 더 많은 자금과 인력을 투자하였다. "대서양 무역이 아시아 무역보다 훨씬 더 중요하다"라고 생각한 이들은 자신들만의 범대서양 정착망과 무역로를 개발하였다. 네덜란드에 엄청난 이윤을 가져다주는 쿠라사오(1675년 이후에는 자유무역항이 됨)의 상업 중계항과 세인트유스타티우스 섬St.Eustatius은 남아메리카 대륙의 모든 중상주의적 장벽을 넘어 유럽의 재화를 서인도 제도에 분배했고 열대의 생산물과 금은괴bullion를 다시 네덜란드로 실어 날랐다. 네덜란드 중계무역의 핵심에는 대서양 세계 구석구석까지 닿는, 진취적인 스페인과 포르투갈계 유대인Sephardic Jews들의 긴밀한 연결망이 있었다. 이 유대인들은 네덜란드령 브라질 인구의 절반을 차지하였고 서구식민지 전체로 뻗어나갔다. 그리고 18세기 중엽에는 쿠라사오 유럽 인구의 3분의 1을 차지하였다.[44]

그러나 식민화의 첫 번째 세기와 그 이후에, 대서양 체제 발전에서 핵심은 귀금속 생산과 분배로 힘을 얻은 스페인의 상업경제였다. 공식적으로 16세기 중반에 완전히 자리 잡은 스페인의 서구 상업체계는 유사 중상주의적·카스티야 민족주의적 독점이었지만, 17세기 말에는 유럽 경제에 열려 있었고 유럽 경제 전반과 관련을 맺고 있었다. 왜냐하면 안달루시아 남부에 위치한 스페인의 경제중심지에서는 재화를 생산하는 기지를 발전시키지 못했으며, 그런 까닭에 금과 은, 그리고 이국적인 재화를 제공하는 서구 제국의 멀리 떨어진 시장을 만족시키기 위해서 유럽의 다른 공급자들에게 의존하였기 때문이다. 그러므로 스페인은 불가피하게 유럽에서 가장 막강한 기업가에게 경제의 문을 열었다. 영국, 제노바, 플랑드르, 프랑스와 네덜란드의 외국 상인들은 세비야와 카디스Cádiz에 있는 그들의 중개사무소를 통하여 중요한 재화들을 제공하였고, 그 대가로 스페인의 대서양 무역 체제의 많은 부분을 통제할 수 있었다. "제노바부터 함부르크까지 유럽의 절반"이 스페인의 서인도 제도 무역을 통하여 아메리카 대륙을 착취하는 "대규모 사업"에 관여하였다. 17세기 말에는 스페인의 유명한 호위선단인 플로타flotas와 갈레오네galeones에 선적되어 아메리카 대륙으로 향하는 물품의 94퍼센트는 스페인 이외 지역에서 생산된 물품이었다. 카디스를 경유하는 수출품의 40퍼센트는 프랑스에서 생산된 물품이었다. 이것은 스스로를 강화하는 체제였다. 유럽의 선진 경제의 물품들이 스페인의 아메리카 시장들에 범람하면서, 자본은 점차 안달루시아 남부에서 잉글랜드, 프랑스, 이탈리아와 저지대 국가들로 흘러갔으며, 멕시코와 페루에서 세비야와 카디스의 외국 지점들을 통하여 들어오는 은은 유럽 경제 전체를 윤택하게 하였다. 스탠리와 바바라 스타인Stanley and Barbara Stein이 기록하기를, 홀랜드, 플랑드르, 잉글랜드, 프랑스, 이탈리아와 독일의 제조품들과 교환한 아메리카 대륙의 은은 "서유럽에서 상업자본주의가 발전하는 데 중요한(아마도 결정적인) 요소였다." 플랑드르의 한 학자가 썼듯이, 대서양 무역에서 안달루시아 남부의 역할이 수동적이면 수동적일수록, 유럽의 경제를 더욱 자극하였다. 이런 이유로 푸펜도르프는 "스페인은 소를 지켰고, 나머지 유럽 국가들은 우유를 마셨다"고 썼다.[45]

이 모든 것이 가능했던 것은, 다시 말해 아주 넓고 경쟁이 치열한 대서양 무역 세계를 묶은 것은 공식적·국가주의적 제한을 무시한 대규모 불법 무역 덕분이었다. 스페인령 아메리카 제국에 대한 유럽의 착취는 대부분 밀수, 부패 그리고 온갖 종류의 사기행위에 의존하였으며, 이러한 착취는 영국과 프랑스가 모국으로 보내는 합법적 수출보다 규모가 작기는 하지만 사실상 공적 체계와 엇비슷한 독립적 경제를 탄생시킬 만큼 중요하였다. 스페인 상업체계의 "공적인 부패는 살아남기 위한 규범이 되었다"고 스타인 부부는 기록하였다. 공적 제도는 금만 간 것이 아니라 물이 흘러 넘칠 만큼 큰 구멍이 뚫렸다. 미셸 모리노Michel Morineau에 따르면, 스페인에 위치한 유럽 중개소에서 수출한 물품 가운데 미등록 물품 워낙 많았기 때문에, "사기가 너무나 만연했기 때문에, 그것은 더 이상 사기가 아니었다." 훗날 스페인이 밀수품을 압박하려 하자 프랑스와 외교마찰이 일어났고, 1739년에는 영국과 전쟁까지 하게 되었다.[46]

그러나 공격적인 경쟁자들이 한 국가의 상업을 비밀리에 약탈하는 행위는 스페인의 대서양 경제에만 국한된 독특한 현상은 아니었다. 어디에서든 불법적 밀수조직은 이 조직이 없었다면 이탈했을 사람들과 경제를 한데 불러 모았다. 브라질과 포르투갈 정부는 미나스제라이스Minas Gerais의 금광에서 포르투갈, 잉글랜드, 아프리카로 금을 밀수해가는 것을 막을 수 없었다. 불법 거래를 금지하는 법령이 24개나 있었지만 불법적인 금 거래가 너무나 일반화되어서, 밀수업자들은 평균 이익보다도 높은 공인 수수료를 받을 수 있었다. 서아프리카의 엘미나Elmina에 있는 네덜란드 요새는 이러한 불법 거래의 중심지가 되었고, 대서양을 오가는 배들은 유럽의 잡다한 물품들을 싣고 아메리카에 도착하였는데, 노예의 가격이 금 판매의 이득을 따라가지 못하였다. 리우데자네이루, 살바도르, 페르남부쿠Pernambuco와 같은 브라질 주요 항구들과 산타카타리나 Santa Catarina와 파라티Paratí와 같은 좀더 작은 항구들은 외국 상품으로 넘쳐났는데, 부분적으로 이는 브라질 경제를 침략하려는 특별한 목적을 위해 조직된 리버풀과 런던의 회사들의 작업 때문이었다.[47]

마찬가지로 프랑스의 설탕 물품도 영국령 북아메리카 대륙에 밀반입되었는데, 이는 부패한 세관 관리들이 장려까지는 아니더라도 밀반입을 묵인했기 때문이다. 일부 지역에서는 표준화된 뇌물의 목록을 제시하는 설명서를 출간하기도 하였다. 북아메리카 항구들의 상황은 "밀반입의 합법화"가 표준적인 이익 형태가 되어버린 카디스의 상황과 유사하였다. 카디스에서는 가난한 귀족들이 정기적으로 확실한 수수료를 챙기면서 도시 담벽 너머로 기꺼이 금은 꾸러미를 넘겨주었고, 승선 세관감시원은 미등록 물품을 배에서 내리는 것을 묵인하였다. 북아메리카 시장에 넘쳐나는 프랑스령 카리브해 제도산 설탕 물품의 불법 거래가 매사추세츠에서 얼마나 만연했는가 하는 것은, 1754-1755년에 384호그즈헤드(hogshead, 100-140갤런 혹은 238리터가 들어가는 큰 통의 단위)에 달하는 당밀이 보스턴 항구에 공식적으로 도착한 반면에, 쉼 없이 돌아가는 증류소 63개를 유지하기 위해 매년 4만 호그즈헤드가 필요했다는 사실에서 잘 드러난다. 세관관료들의 무마로 수월해진 불법 거래는 프랑스령 섬들에 만연하였는데, 불법 거래는 합법 거래가 심각하게 불균형한 상황에서 국제수지의 균형을 맞추는 기능을 하였다. 이렇듯 깊이 뿌리박은 비밀 거래를 뽑아내기 위한 노력은 미국 혁명의 첫 번째 법령인 가택수색 영장 Writs of Assistance을 발포하는 것으로 귀결되었다.[48] 연 2회 운행하는 스페인 호송선에 선적한 유럽 물품들은 쿠바를 거쳐 모든 인접 지역들로 정기적으로 밀수되었고, 밀수꾼들은 스페인령 아메리카의 무역경로를 따라 쿠라사오의 네덜란드 기지, 자메이카의 영국 기지, 그리고 히스파니올라Hispaniola의 프랑스 기지로 떼를 지어 이동하였다. 밀수는 네덜란드령 앤틸리스 제도Antilles의 "거의 유일한 존재이유"였다. 안티구아 Antigua는 "밀수꾼들의 천국"이었고, "프랑스인, 네덜란드인과 영국인은 스페인령 카리브해에서 이루어지는 모든 불법 거래를 위장하기 위해 아시엔토(asiento, 1713년의 위트레흐트조약에서 영국 정부가 에스파냐에 요구하여 얻어낸 노예무역 독점권)를 사용하였다.[49]

그리고 과거에는 일상적이더라도 은밀했던 것이 이제는 합법적으로 허가되었다. 스페인은 포르투갈, 프랑스, 영국의 밀렵꾼들에게 제한적인 계약을 허가하였고, 1713년 위트레흐트 조약에서 제국의 일반적 거래를 위해 1년마다 갱신하는 배 허가증과 함께 모든 노예무역 독점권을 영국인들에게 공식적으로 넘겨주었다. 전쟁이 지속되는 시기에 남해회사South Sea Company의 재앙적인 운영으로는 노예무역 독점권 자체가 이득을 가져오지 못한다는 것이 증명되었음에도, 노예무역 독점권은 서반구 전체에 노예를 공급하는 제1공급자로서 영국이 엄청난 성공을 거두는 데 기여하였다.[50] 18세기 중반에, 리버풀, 브리스톨, 런던에서 오는 배들은 250만 명(18세기 전체 노예의 40퍼센트)에 달하는 아프리카인들을 북아메리카, 중앙아메리카, 남아메리카 대륙의 노예시장으로 운반하였다.[51] 영국의 노예무역이 얼마나 복잡하였는지, 그리고 4개 대륙 사람들의 생활과 노동이 노예무역과 얼마나 밀접하게 엮여 있었는지에 대해서는 스티븐 베렌트Stephen Behrendt가 상세하게 보여준다. 이제 우리는 영국과 유럽 북부의 상품 생산자, 아프리카의 노예상인, 아메리카 대륙의 노동중개상, 플렌테이션 주인, 평범한 소비자가 참여한 노예무역이 아주 신중하게 시간을 조정한 거래 순환주기에 따라 어떻게 진행되었는지 알 수 있다. 멀리 떨어진 지역들 간의 잇단 거래가 계속해서 딱딱 들어맞는 것, 재화와 시장에 대한 지식이 불완전하고 부정확한데도 수요와 공급이 거의 일치하는 것은 복잡하고 교묘한 방식으로 가능했다. 교역 물품을 운송하고 아프리카 노예의 공급과 아메리카 노동시장의 수요를 예측하는 과정에서 단 한 번이라도 잘못 판단하거나 사고가 난다면 경제적 재앙을 불러올 수 있었다.[52]

이 시대 대서양 세계의 요소들은 경제적으로 뿐 아니라 사회적·문화적·인구통계학적으로도 통합되어 있었다. 서반구에서 유럽인들은 극동아시아에서 그랬던 것처럼 기생충같이 굴지는 않았다. 마셜P. J. Marshall에 따르면 유럽인들은 "위대한 아시아 제국에서 거의 보이지도 않았다." 16세기 초에 스페인 사람들과 포르투갈인들이 바다를 통해 무역을 해오고 네덜란드와 영국인들이 그 뒤를 따랐던 인도와 인도네시아에서, 고대 문명들은 "인구가 조밀하고 엄격하게 통치되어 외국인들이 급습하더라도 그다지 힘겨워하지 않았다." 18세기 말까지도 현지 상인들이 무역을 통제했고, 제조업은 아시아 방식에 따라 운영되었으며, 아시아의 통치자들은 강력한 육군을 통제하였고, 유럽인들은 결코 "대서양을 지배했던 것만큼 완벽하게" 공해를 통제할 수 없었다. 아메리카 대륙은 달랐다. 거주자가 거의 없는 해안지대에서 정착을 시작한 유럽인들은 이국

적인 영토 변두리에 지역당국의 선의와 상업적 이해관계에 의
존하는 공장, 요새, 그리고 속지屬地 교역공동체를 만든 것이
아니라, 유럽혼혈인, 아메리카 원주민 그리고 아프리카인이 뒤
섞인 자급자족적이고 진취적인 정착민 사회를 만들었다. 이들
의 존재는 대륙의 내부로 깊이 파고들었으며 사방으로 퍼져나
갔고, 토착민 사회에 밀어닥쳐 그 사회를 탈바꿈시켰으며, 새
로운 형태의 경제적 · 사회적 삶을 창조해냈다. 북미 5대호의
호숫가에 사는 이로쿼이족roquois은 티티카카 호숫가에 사는
페루 원주민들만큼이나 영향을 받았다.[53]

대서양 세계는 사실상 어마어마하게 복잡하고 지역에 따라
구별되는 유럽-아프리카-아메리카식 노동 체제라고 여길 수
있다. 유럽 시장에서 담배와 설탕 가격이 오르면, 4,500킬로미
터 떨어진 농장들에서도 생산량이 늘어나고 새로운 경작지가
개발되었으며 그에 맞춰 노예든 자유인이든 농장 노동력에 대
한 수요 또한 증가했다. 대대로 영국이 수출한 '바람직하지 못
한 자들undesirables'은 생산적인 아메리카 노동력에 크게 가
치 있는 것으로 판명되었다. 수출된 '바람직하지 못한 자들'이
란 로드Laud 치하의 청교도들, 초기 스튜어트 시대의 부랑자
들, 크롬웰 치하의 전쟁포로들, 후기 스튜어트 시대의 퀘이커
교도들, 그리고 하노버 왕가 치하 수천 명에 달하는 죄수들

(총 5만 명으로 추정) 같은 사람들을 말한다. 모두 합쳐서, 혁명 시대 이전에 영국, 스코틀랜드 그리고 아일랜드에서 약 70만 명이 대서양 식민지로 이주했다. 아메리카 토착민들이 질병과 전쟁으로 떼죽음을 당한 뒤에도, 스페인에게는 사회적으로 훈련받은 믿을 만한 아메리카 노동력이 여전히 많았고, 또 스페인으로부터의 이민이 2세대에서는 공식적으로 "순수한 혈통"인 자들로 제한되었음에도 불구하고, 스페인도 상당한 숫자의 이민자들을 대서양 식민지로 끌어들였다. 그 숫자는 68만 8,000명 정도로, 그중에는 경제적 기회를 노리는 야심 있는 가문, 작은 아들들과 스페인 하급 귀족hidalgo들도 약간 있었지만 주로 가난한 노동자들, 소매상들, 농장 일꾼들, 바람직하지 못한 자들(유대인, 무슬림 그리고 관료정치에서 밀려난 프로테스탄트교도) 그리고 이주 증명서가 없는 엄청난 수의 병사들과 선원들이었다. 프랑스령 캐나다는 좀더 적은 이민자들을 맞이했다. 이들은 대략 7만 명으로 그중 상당수가 모국으로 되돌아갔다. 이주민들은 농촌이 아니라 해안 지역이나 파리 지역의 근대화된 세계적인 도시들에서 왔다. 지방 출신인 사람들은 "시장 경제와 잘 통합되고 농업이 초기부터 자본주의적이었던" 지방에서 왔다. 프랑스령 섬들은 더 많은 이주자들을 들였는데, 1760년 전까지 총 37만 5,000명 정도였다. 그리고 대

서양 식민지 거의 어디에서나 네덜란드인, 아일랜드인, 스코틀
랜드인들이 흩어져 있었다.[54]

그러나 서반구로 유입된 노동자들은 중에는 단연코 아프리
카 출신이 가장 많았다. 1775년도까지 총 550만 명 가운데 36
퍼센트가 영국령 아메리카, 32퍼센트가 포르투갈 식민지, 13
퍼센트가 프랑스 식민지, 그리고 9퍼센트가 스페인 식민지로
보내졌다. 대서양 전체를 아우르는 아프리카–유럽의 강제적인
상업체계를 통해 노예화되고 분배된 그들은 서반구의 거의 모
든 곳에서 인구학적 · 사회적 · 경제적 힘이었다. 산토도밍고St.
Dominigue나 사우스캐롤라이나와 같은 곳에서는 아프리카인
들의 힘이 압도적이었다. 처음에는 모든 곳에서 확실하지 않
았던 아프리카인들의 법적 지위는 차차 공식화되었지만, 곳에
따라 그 방식과 시기는 서로 달랐다. 사람을 계속해서 물건으
로 취급할 수는 없어서 아프리카인들에게 부여한 법적 지위는
어디서나 아주 모호하였지만, 공식적으로는 모든 곳에서 명확
해졌다. 그리고 모든 곳에서 아프리카인들은 대서양 "체제"의
중심이었고 대서양 경제 전체의 근본이었다. 바바라 솔로우
Barbara Solow는 이렇게 썼다.

서반구의 텅 빈 땅들을 가치 있는 상품 생산지와 유럽과 북아

메리카의 가치 있는 시장으로 만든 것은 노예제도였다. 몇 세기 동안 대서양을 움직인 것은 단연 노예들, 노예들의 생산, 노예 사회로의 투입 그리고 노예 상품으로 얻은 수익으로 사들인 재화와 용역이었다. …… 따라서 노예제도는 노예들의 출생 국가와 도착 국가에만 영향을 준 것이 아니라 노예 경제의 생산품에 투자하고, 그 생산품을 공급하고 소비한 국가들에도 영향을 끼쳤다.[55]

무역과 사람뿐 아니라 정보도 안정적인 경로를 따라 움직였으며, 변덕스럽긴 했으나 전체적으로 볼 때 통신 체계를 형성해서, 페루와 세비야, 리우데자네이루와 리스본, 아팔라치아와 아일랜드, 스코틀랜드와 바베이도스, 라이란트와 펜실베니아를 연결해주었다. 상호침투는 깊었다. 피레네 산맥 서쪽의 잘 알려지지 않은 바스크Basque 지역 농민의 삶은, 신세계와 접촉하면서 완전히 탈바꿈했다. 대서양 반대편에서 벌어지는 일들은 바스크 골짜기에 살던 사람들을 스페인령 아메리카 식민지와 농장으로 끌어들였고, 그들 고향에 영향을 미쳐서 "식민지의 부와 대서양을 가로지르는 관계망에 바탕을 둔 새로운 지역 상류층을 만들어냈다. 서인도 제도는…… 오이아르준Oiart-zun을 비롯해 여러 곳에서 온 바스크인들에게 그들의 위치와 사명을 스페인식 군주제의 유기적 요소로 재규정하고, 그들과 이베리아 반도의 다른 사람들 사이의 인종적 차이를 재확인할 수 있는 특별한 기회를 주었다."[56] 이와 비슷하게, 프랑스가 영국, 스페인, 아일랜드 그리고 독일 남서 주들보다 이주를 통해 형성된 서반구와의 유대가 더 적었음에도 불구하고, "대서양 붐"은 프랑스의 외딴 내륙지역의 사회경제에까지 깊게 파고들었다. 대서양 무역은 "아키텐에서 밀가루와 와인을, 스당과 랑그독에서 옷을, 서프랑스에서 캔버스를, 발랑시엔이나 푸이에서 레이스를, 세벤느와 도피네에서 비단 양말과 장갑"을 가져왔다. 독일인들의 삶도 마찬가지여서, 네카어 계곡나 뷔르템베르크, 크라이히가우 같은 외딴 지역에 사는 독일인들은 북아메리카에 있는 독일 동포들과 관계에 영향을 받았고, 로우랜드[Lowland, 스코틀랜드 저지低地 지방] 도시들에서 멀리 떨어진 고립된 농가에 사는 스코트랜드인들도 여러 세대에 걸쳐 노바스코샤, 노스캐롤라이나, 서인도 제도로 이주하거나 추방당한 친척들 및 예전 이웃주민들과 연락을 유지했다.[57]

이런 관계망을 형성하고 유지하는 데는 종교가 중대한 역할을 하였다. 스페인령 아메리카의 가톨릭 교회의 정교한 구조, 다시 말해 정착지 곳곳에 스며들어 정착지와 본국 교회들의 성직자 계서제를 연결시켜주던 광범위한 교구체계와 수사신

부들의 하위조직을 우리는 오래전부터 알아왔지만, 프로테스탄트 교회들의 대서양 관계망은 정확하게 알지 못하였다. 프로테스탄트 관계망 또한 가톨릭과는 다른 더 다양한 방식으로 유럽-아메리카 세계로 퍼져나갔고, 이 세계의 요소들을 결합하였다.

장로교 형태를 제외한 청교도주의는 어떠한 공식적인 성직자 계서제나 중앙 권력도 용납하지 않았지만, 17세기 대부분 동안 비공식적이지만 영향력 있는 연결망을 통해 잉글랜드, 뉴잉글랜드, 아일랜드, 네덜란드 그리고 서인도 제도에서 서로 교리가 다른 다양한 청교도 교파들이 결합되었다. 이 북대서양 연결망을 통해 신학, 기독교, 정치, 개인에 관한 정보가 오갔고, 적어도 3세대 동안 프로테스탄트 신자들을 한데 묶는 역할을 했다. 예를 들어, 각기 다른 5개 지역에 흩어져 있던 매더 가문Mathers은, 이전에 윈스롭 가문Winthrops이 그랬듯이, 17세기 후반에 그들 자체적으로 효과적인 대서양 통신체계를 만들었다.[58]

영국 국교회의 계서제는 영국 식민지 전체를 포괄했으며, 비록 아메리카에서 주교 자리를 확립하지는 못했지만 런던 주교의 권한을 통해 대영제국 전역과 유대를 유지했고 해외복음전도 침례교협회Society for the Propagation of the Gospel in Foreign Parts를 통해 복음 전파를 확대했다. 1785년까지 이 협회는 선교사 355명을 200군데도 넘는 아메리카 지역들에 파견했고 런던 본부의 대표들과 정밀한 통신체계를 유지했다. 하지만 역설적이게도, 원칙적으로 성직자 계서제를 철저히 반대하던 퀘이커교도들이 모든 영국 교파들 중에서 가장 완벽하게 통합되고 규율이 잘 잡힌 범대서양 종교조직을 이루어냈다. 처음부터 그들은 영국 북부의 본부에서 해외를 바라보고 저지대 국가, 독일 국가들, 스칸디나비아, 프랑스와 이탈리아 그리고 무엇보다 서반구의 영국 식민지 등 모든 방향으로 선교사들을 보냈다. 1655년부터 1660년까지 5년이라는 짧은 시간 동안 그들은 영국의 모든 대서양 식민지에 상륙거점들을 설립했고, "방대한 지역에 걸쳐 그들을 단단히 붙잡았던" 유대체계를 구축해냈다. 퀘이커교도들의 유대에서 핵심은 그들의 인구가 늘어나고 퍼져나가면서 급증한 월별, 분기별, 연별 연합 모임의 망보다는 "순회목회"였다. "범대서양 우애 협회Society of Friends의 혈류"인 순회목회는 매년 범대서양 연결망을 통해 이동했다. 순회목회자들(남자든 여자든 승인받은 사람이라면 누구나 퀘이커교도의 사명을 수행하기 위해 순회할 수 있었다)은 수천 킬로미터에 걸친 땅과 바다에 흩어져 있는 공동체들에서 교리와 실천을 놀라울 만큼 균일하게 유지하는 일을 해냈고,

종파의 형제애와 자매애에 생생한 의미를 부여했다. 1700년 경엔 거의 150명의 남녀가 그러한 선교 목적을 가지고 바다를 건넜고, "퀘이커 공동체를 통일하고 다지며" 많은 이들이 2-3년간 순회를 계속했다. 18세기 초엽에 한 순회목회자는 480개 회합을 방문하기 위해 3만 3,800킬로미터를 여행했다고 증언하기도 했다. 리베카 라슨Rebecca Larson은 자신의 책 『빛의 딸들Daughters of Light』에서 아메리카 퀘이커 여자 목회자 365명을 열거하고, 그들 가운데 1700년과 1775년 사이에 "대서양을 가로지른 여자들" 57명의 삶을 조명하였다.[59]

그러나 독일 프로테스탄트 교파들도 (퀘이커교도들 만큼이나) 범대서양 유대를 효과적으로 유지했는데, 특히 아메리카 원주민들에게 효과적으로 접근했다. 모라비아교도들Moravians(종교개혁 이전 후스파의 후손들로, 작센의 헤른후트에서 다시 운동을 시작했으며 보편적 형제회The Unitas Fratrum라고도 불린다)은 무엇보다 오래전부터 "양의 영혼을 얻겠다고" 결심한 전도사들이었다.[60] 그리고 그들은 그렇게 하였다. 그들의 고향 헤른후트의 주민은 미국 혁명 이전에는 천 명도 되지 않았지만, 그들은 대서양을 순회했다. 이 동독인들은 그들이 가장 가지 않을 것 같은 장소인 런던, 아일랜드, 스톡홀름, 실레시아Silesia, 그린란드, 서아프리카, 남아프리카, 안티구아, 토바고, 바베이도스, 덴마크령 서인도 제도, 베르비세, 파라마리보Paramaribo, 수리남에서 선교하였고, 동시에 펜실베니아에 있는 그들의 주요 북아메리카 정착지에서 동부 해안의 인디언 원주민 영토까지 활동영역을 넓혔다.[61] 1748년에 그들은 식민지 본토에 31개의 공동체를 가지고 있었으며, 메인Maine에서 캐롤라이나까지 활동하면서 인디언들을 상대하는 선교사와 순회목회자 50명을 지원했다.[62] 모든 전도사들은 회합, 방문, 회람 일기와 편지로 서로 연락을 취했고, 우편 제도가 허락하는 한 독일의 이사회와 밀접한 관계를 유지했다.[63] 그들 중 빠르게 빈곤에서 벗어난 펜실베니아인들은 같은 교도들의 복지를 자기들 일처럼 여겨서 유럽 교우들의 활동을 돕기 위해 농장과 소규모 제조업에서 얻은 이익을 봉헌하였다.

하지만 독일-대서양의 복음주의 기독교인들 중 가장 정교한 조직을 갖춘 종파는 재능 있는 목사이자 행정가인 아우구스트 헤르만 프랑케August Hermann Francke가 라이프치히와 인접한 할레에서 조직한 루터교회 경건파Lutheran Pietists였다. 17세기 후반에 그들은 제국의 몇몇 중심지에서 자선단체와 개혁단체와 관계를 맺었고, 런던에서는 성향이 비슷한 단체들과, 특히 '기독교 지식 보급을 위한 잉글랜드교회 협회Church of England's Society for the Propagation of Christian Knowledge'와 관계를 맺었다. 그들은 복잡한 연결망을 통해 "영국의 자선운동과 교육개혁운동을 독일 북부 경건주의자들과 그들의 사업 동료들, 그리고 귀족들과 연결지음으로써" 박해받은 독일 프로테스탄트교도들, 특히 잘츠부르크에서 망명한 자들을 영국 왕실의 보호를 받는 북아메리카의 소수집단 거주지로 이송하는 임무를 맡았다. 왕조와 영토를 넘나드는 정교한 프로테스탄트 연결망이었던 경건주의자들 조직은, 할레에 위치한 프랑케 재단(대학교, 고아원, 병원 그리고 약품을 생산하고 나눠주는 센터를 가지고 있던)에서 영국령 북아메리카 산림의 야영지까지 이르렀고, 프랑스령 캐나다의 메티스〔캐나다 원주민과 유럽인 간의 혼혈인〕마을사람들과 로마 사이를 맺어주는 연결고리였던 예수회처럼 안전하게 유지되었다. 할레의 선교사들이 경건주의 신앙과 자신들의 작은 대학 마을에서 들여온 최신 출판물과 약품을 가지고 영국령 북아메리카 식민지와 카리브해 곳곳으로 나아갔듯이, 프랑스령 북아메리카 식민지 곳곳으로 나아간 예수회도 그러했다. 18세기 초쯤엔 100명이 넘는 예수회 신부들과 평수사들이 퀘벡부터 위스콘신까지 30회의 예수회 전도를 마친 상태였다. 이후에 그들은 루이지애나와 오하이오 계곡을 파고들었으며, 지역마다 성공률은 달랐지만 적어도 성인 원주민 1만 명에게 세례를 주었다.[64]

모든 곳에 경제적 · 종교적 · 사회적 · 문화적 대서양 연결망이 있었다. 그리고 그 연결망이 성숙함에 따라 서반구에서 권력을 가지고 있던 크레올 지도자들(유럽 혈통의 아메리카 태생)의 재산이 늘어났는데, 이들은 본국의 상업, 정치, 종교, 고급문화의 중심지와 선이 닿아 있었고 문화적으로도 제휴하고 있었다.

18세기 중반의 뉴스페인은 "크레올 승리주의"의 시대라고 불려왔다. 라틴아메리카와 영국령 아프리카에서도 마찬가지였다.[65] 오래전부터 존재해온 크레올 가문들은 근친결혼을 했고, 뉴스페인의 대농장, 카리브해의 설탕농장, 버지니아와 메릴랜드의 담배농장들과 같은 토지 재산을 통제하였고, 광산업, 목장업, 조선업, 제철업, 고기잡이와 같은 생산적인 사업들도 도맡았다. 친족과 이익(라틴아메리카의 경우 "관료제에 접근하고, 세금을 감면받고 왕의 정책에 대해 논쟁하는 다양한 이익단체의 일원이 되는 것")으로 연결된 밀도 높은 망을 이용해 권한을 강화한 크레올 엘리트들은, 그들이 페루, 브라질, 멕시코에서 강력하였듯이, 버지니아에서도 강력했다. 그들은 자신이 그 땅의 정당한 주인이라고 믿어 지역사법권을 장악했는데, 그러한 권한은 제국 지배에 대한 도전으로 비쳤다. 모국인 스페인과 영국의 행정부는 크레올 지도자들을 행정 요직에서 배제하고자 노력하였는데, 이러한 노력은 크레올 애국자들이 스페인 정복자들로부터 물려받은 권리를 주장한 신생국인 베네수엘라에서와 마찬가지로, 반半자치적인 뉴잉글랜드에서도 분노를 자아냈다.[66]

III

크레올들이 성장하고 독립심을 자랑스러워했다는 것은 근대 초 대서양 생활이 마지막 단계에 접어들었음을 의미했다. 하지만 이 마지막 단계는 아직 윤곽이 명확하지 않았고 시기도 고정되어 있지 않았다. 크레올 귀족들은 잘 교육받은 사람들이었다. 이들은 대부분 예수회가 지배하던 스페인령 아메리카의 20여 개의 대학, 포르투갈령 아메리카의 학술원, 신학교와 문학동호회, 영국령 북아메리카의 대학에 준하는 학교 9곳에서 교육을 받았다. 이들은 18세기 중반과 후반에 유럽의 상류사회에 불어닥친 개혁을 향한 욕구에 대해 아주 잘 알고 있었다.[67] 지방 출신이지만 세상일에 밝은 일부 엘리트들은 선구적인 사상이라는 거울에 비친 자신들의 모습을 보았다. 그들은 영국령 아메리카의 독립국가에서, 그게 아니라면 스페인령 아메리카의 군주제 공화국이나 연방 내의 자치 지역에서, 삶의 풍요로운 가능성을 발견했다. 영국이 7년 전쟁 이후에 식민지 행정

개혁을 시작하고 스페인이 "부르봉 개혁Bourbon Reforms"에
착수했을 때, 두 나라 모두 식민지에서 세입을 늘리고, 허점들
을 막고, 또한 융통성이 성공 요인이었던 체제에 새로운 유럽
인 관리들을 세우고 엄격한 규제를 걸었을 때, 남부의 크레올
엘리트들은 "자신들의 고향에서" 억압적이고 이기적이며 식민
지에 대한 책임에는 무관심한 군림하는 세계를 보았다. 크레
올 엘리트들이 복잡한 반응을 보이기 시작하면서, 이제 막 생
겨나서 충돌을 일으키던 그들의 문화적 자기인식이 성숙하여
좀더 선명한 형태를 갖추었다. 19세기 초반의 수십 년 동안,
크레올들은 점차 자신들이 남다르고 독립된 사람이라는 것을
인식하고 자신들의 독특한 정체성을 규정하려 하였다.

아메리카의 새롭게 부상하는 국가들에게, 19세기 초반은 세
계에서 그들만의 특별한 장소를 찾으려 애쓴 발견의 시대, 혹
은 자기 발견의 시대였다. 옥타비오 파스Octavio Paz가 말했
던 것처럼, 그들은 고유의 조국patria을 발견하려 하였다. 그리
하여 교양 있는 산칼로스San Carlos 대학에서 "계몽주의적 방
법과 사상을 교육받고" 그들의 진보적인 『가제타 데 과테말라
Gazeta de Guatemala』("벽 없는 대학")에 유창하게 의견을
표명한 과테말라시티의 엘리트들은

조국을 그들 자신의 관습, 영토, 언어와 역사를 가진 곳, 법 앞의 평등이 특권 문화를 공격하는 곳, 그리고 사회의 기여자는 인종이나…… 조합의 회원자격보다는 효용성으로 판단되는 곳으로 상상했다.

이러한 "식민지 담론에서 새로운" 사상, 그리고 유색인, 인디언, 메스티조를 포함하기 위해 "대중"의 범위를 넓힌다는 더욱 급진적인 사상은 아직은 스페인 군주정과 계속해서 유대를 유지할 수 있다는 생각과 양립 가능한 상상에 지나지 않았다. 하지만 성공적이었든 아니었든 간에, 저항은 이런 사상을 완전히 바꿔버렸다. 그로 인한 투쟁은 공적 권력의 전통적인 토대를 약화시켰고, 오랫동안 고정돼왔던 사고방식이나 신념을 마구 흔들고 느슨하게 만들었다. 합법성의 근거는 바뀌었다. 예전에 편협한 상상으로 간주되었던 것이 이제는 더 계몽되고 부담이 줄어든 사회에서 성취 가능한 목표로 여겨졌다.[68]

처한 환경은 모두 달랐다. 서로 다른 인구, 이데올로기, 사회경제적 상황에 따라 각기 다른 시간에 각기 다른 결과가 형성되었다. 멕시코의 메시아적이고 인종 간 평등을 지향하는 반란은 영국령 아메리카의 애국심과는 전혀 달랐다. 멕시코의 반란은 재속성직자 미겔 이달고Miguel Hidalgo가 처음 이끌었고 그다음에는 호세 마리아 모렐로스José María Morelos (동시대인들은 이들을 "조국의 아버지"라고 불렀다)가 이끌었으며, "자신의 깃발 아래 멕시코 민족의 가장 밑뿌리에서 나오는 수액을" 뽑아낸 과달루페의 성모Our Lady of Guadalupe 에게 영감을 얻은 것이었다. 반면 멕시코의 반란은, 색슨 시대의 "고대 율령"에 헌신하고 가톨릭 절대주의에 맞서 싸웠던 명예혁명의 순교자들에게서 영감을 얻은 것이었다. 스페인 제국 안에서 자취를 쟁취하는 데 실패하고 1812년 스페인의 자유주의적인 카디스 헌법이 무너진 뒤에, 머뭇거리고 우왕좌왕하며 나아간 멕시코 독립에 이르는 길 역시 북아메리카의 독립적이고 결단력 있는 자치권 주장과 달랐다. 하지만 이 모든 차이점들에도 불구하고, 기나긴 식민지 혁명 시대는 아메리카 역사에서, 그리고 일반적으로 대서양 역사에서 독특한 시기였다. 어떤 식으로 이뤄졌든 간에, 서반구에서의 독립과 정치적 개혁을 위한 투쟁들은 유럽 본국에서 일어난 정치 변화의 일부분이었다. 하이메 로드리게스Jaime Rodríguez는 "18세기 후반과 19세기 초반의 대서양 세계에서 일어난 더 큰 변화의 한 부분" 그리고 궁극적으로 아프리카와 서구의 관계 변화의 일부분이었다고 기록하였다.[69]

개혁가들과 개혁을 위한 계획과 프로그램들은 대서양 세계를 가로질러 상호 연결망을 형성했다. 신선하고 해방을 자극하는 사상이 베네딕트회 수사인 베니토 페이주Benito Feijoo(스페인에서 프랑스 계몽주의의 횃불 같았던 존재로, 코페르니쿠스, 데카르트 그리고 뉴턴의 새로운 과학에 헌신했고, 대중적 미신들을 맹렬히 비판했다)처럼 영향력이 큰 작가들을 통해 멕시코, 베네수엘라 그리고 리우데라플라타Rio de la Plata로 전달된 것처럼, 영국 반휘그파의 도전적이고 빠르게 발전하는 정치사상도 트렌차드Trenchard나 고든Gordon 같은 팸플릿 저자들에 의해 윌리엄스버그와 보스턴으로 전달되었다. 굉장히 박식한 멕시코 예수회의 프란치스코 클라비게로Francisco Clavigero는 학자의 원칙에 충실했지만, 뉴턴과 베이컨, 데카르트 그리고 프랭클린을 찬양하기도 했다. 클라비게로와 함께 이탈리아에서 추방된 친구이며 박식하기로 유명한 프란치스코 알레그레Francisco Alegre는 로크와 홉스 (스페인어로 "로치오Lochio"와 "오베스Obbes")를 알고 있었으며, 많은 히스패닉 사상가들이 그랬듯이, 주권의 근원이 피지배자의 동의에 있다고 믿었다. 스페인령 아메리카 세계에서 그들은 "웅변술, 문학작품, 교육방법…… 그리고 현대 언어를 배우려는 욕구로 봐서" 근대주의자들이었다. 그리고 그들은 멕시코의 지적 생활에 "경험에 토대를 둔 비판적 분석을 강조하는 18세기 과학으로부터 강한 영향을 받았으며 18세기 과학과 가까운, 변형된 아리스토텔레스적인 철학적 우주론"을 소개하려 애썼다.[70]

한 분야에서 형성된 새롭고 도전적인 사상은 다른 영역에서 다양한 각도로 평가되고 흡수되었다. 지역과 문화 간의 모든 차이를 감안하더라도, 그 시대의 유사성은 놀라운 수준이었다. 그러므로 그 위기는

성격상 본질적으로 정치적이고 헌법과 관련이 있었다. 틀림없이 위기는 새로 부과되거나 늘어난 세금 때문에 촉발되었다. 하지만 핵심 문제는 새로운 국가 재정 과세를 부과할 권한이 누구에게 있느냐 하는 것이었다. …… [그리고] 부당한 법률들은 효력이 없으며 새로운 세금에 대한 일종의 대중적 지지라고 하는 권리가 정치의 신비체corpus mysticum politicum에 내재한다는 믿음이…… 문서에 깊이 뿌리박고 있었다. "쓰이지 않은 헌법"은 기본적인 결정들이 왕실의 관료정치와 왕의 식민지 속민들 사이의 비공식적 협의에 의해서 만들어진 것이라고 말한다. 대개 중앙 권력이 이상적으로 원하는 것과 지역 상황과 압력이 현실적으로 견딜 수 있는 것 사이에서 실행 가능한 타협이 생겨났다. 위기는…… 간단히 말해 제국의 중앙집권화와 식민지의 지방분권화 사이의 헌법을 둘러싼 충돌이었다.

이렇게 한 역사가는 1776년의 영국령 아메리카 반란이 아니라, 1781년 뉴그라나다(콜롬비아)의 코무네로스 혁명Comu-nero Revolution을 말했다.[71]

볼리바르Bolívar는 매디슨의 연방주의를 새로운 나라 베네수엘라의 기반으로 삼아야 한다는 프란치스코 미란다Francis-co Miranda의 신념을 철저히 거부했다. 하지만 볼리바르는 매디슨만큼이나 몽테스키외Montesquieu의 가르침에 헌신적이었고, 샹베리Chambery를 방문하여 루소Rousseau에 대해 기념하였을 때 볼리바르는 루소에 대해 어느 버지니아인보다 더 많이 알고 있었다. 굉장히 가톨릭적이고, 히스패닉 전통에 깊이 뿌리박은 크레올 애국심의 관습적인 주제들을 고전적 공화주의에 대한 확신으로 바꾸어놓으려 했고, 또 그럴 수 있었던 유일한 존재는 볼리바르였다. 볼리바르는 카라카스Caracas에서 태어나고 자랐으며 대규모 농장 재산의 상속자였지만, 유럽에서 교육받았고 유럽과 북아메리카 계몽주의 문학에 열중했던 진정한 대서양주의자였다. 유럽의 지성인들과 정치가들도 대서양주의자였다. 엠마 로스차일드Emma Rothschild가 생생한 연구를 통해 보여주었듯이, 데이비드 흄David Hume도 대서양 세계 곳곳에서 정치, 전쟁, 환경, 물질적·인간적 조건에 대한 정보를 공급받았다. 로스차일드에 따르면, 흄의 인

생은 "18세기 대서양 세계가 깊은 내륙까지, 식민지 내부까지, 그리고 개인 실존의 내면까지 파고든 방식을 보여주는…… 흥미로운 실례이다."

대서양 세계는 거의 모든 사람의 시야 끝에 있었다. 데이비드 흄이 어린 시절 버윅셔의 집에서 혹은 라플레쉬의 작은 방에서 루아르, 루아르 강을, 낭트를, 그리고 대서양을 바라보았을 때, 그것이 흄의 시야의 끝에 있었던 것처럼 말이다.[72]

흄과 같은 매력적인 사상가들이나 동쪽 서쪽의 헌법 개혁가들의 사상이 대서양 사회에 스며들었다. 버지니아 권리장전에서 영감을 얻었던 프랑스의 인간과 시민의 권리 선언이 서구 세계를 휩쓸고 모든 곳에서 개혁에 대한 열망을 드높인 것이 어쩌면 예상 밖의 일이 아니었을지도 모른다.[73] 그보다 좀 더 불확실했던 것은 어디서나 영향력이 있었던 체사레 베카리아Cesare Beccaria의 『범죄와 형벌에 대하여On Crime and Punishment』였다. 베카리아의 책은 밀라노 아방가르드의 간략하지만 강력한 선언문으로, 유럽과 북아메리카의 개혁가들뿐만 아니라 특히 라틴아메리카의 개혁가들에게 영감을 주었다. 히스패닉계 아메리카 혁명가들 사이에서 훨씬 더 영향력이 컸던 것은, 베카리아의 책을 일부 본떠서 식민지 독립을 설득력 있게 옹호했던 벤담Bentham의 초기 저술들이었다. 그의 저술들은 리우데라플라타의 지식인들과 베네수엘라의 혁명가들에게 아주 큰 영향을 끼쳐서, 볼리바르가 성직자들의 압력에 반응해 이 저술들을 콜레히오[colegios, 학교]와 대학에서 금지하려 했지만 성공하지 못할 정도였다. 그리고 대서양 세계 전역에 가장 광범위하게 스며들었던 것은 새로운 미합중국의 입헌주의였다.[74]

대서양 세계의 지식인들과 개혁 지도자들에게 미합중국에서 시작된 입헌주의적 사상과 실천은 정부 구조를 조정하고 그에 따르는 위험을 방지하며 대안을 탐구하는 데 필요한 실례를 제공하였다. 미국의 입헌주의는 기계적으로 모방할 수 있는 본보기는 아니지만, 각기 다른 변화의 단계에 있는 사회들에서는 그곳 특유의 문제들이 발생한다는 점을 감안하여 필요할 때 간간이 선택적으로 의지할 수 있는 경험들의 창고였다.

북아메리카인들의 입헌주의 사상은 어디서나 논란이 되었다. 국민의회가 열린 첫 해에 프랑스에서, 입헌주의 사상이 18세기 지적인 중간계급의 개혁을 위한 노력과 19세기 영국 노동계급에서 시작된 급진주의 사이에 다리를 놓았던 영국에서, 쿠임브라Coimbra 대학에서 공부하던 젊은 반란가들이 영감과

충고를 얻기 위해 비밀리에 제퍼슨Jefferson을 찾아갔던 브라질에서, 미국 헌법을 자신들 헌법의 "전형이자 본보기"로 여기던 칠레에서, 필라델피아로 망명하는 중에 미국의 주요 국가 서류들을 번역했던 비첸테 로카푸에르테Vicente Rocafuerte가 미국 독립선언서를 정치적 십계명이라고, 미국 헌법을 "억압당하는 이들의 유일한 희망"이라고 표현했던 에콰도르에서, 입헌주의 사상이 1824년 미국 헌법에 따른 연방제를 부추긴 멕시코에서, 그리고 마지막으로 1848년에 프랑스와 독일에서, 1853년에 아르헨티나에서도 논란이 되었다.[75]

피로 얼룩진 제국 통치의 잔해 한복판에서 자치권과 독립을 쟁취하기 위한 라틴아메리카인들의 투쟁은, 어느 정도 안정적인 단계에 이르기 전까지는 거의 모든 곳에서 혼란과 비극을 수반할 것이었다. 그러나 대서양 역사의 이 중요한 단계를 거치면서 라틴아메리카는 유럽 국가들과 정치적으로는 분리되었지만 문화적으로는 분리되지 않았다. 고드쇼와 팔머가 지적했듯이, 유럽과 아메리카가 정치적 격변과 개혁을 경험한 이 시대는, 서로 간의 그 모든 차이점에도 불구하고, 서유럽과 아메리카의 공적 세계가 동일한 대서양 문화의 일부분으로서 특히 가까워진 시기였다. 존 린치John Lynch에 따르면, 만약 유럽과 북아메리카 계몽주의가 라틴아메리카 혁명의 원인이 아니었다면, 그것은 "혁명 전, 혁명 중, 혁명 후에 지도자들이 자신들의 행위를 정당화하고 방어하고 합법화하기 위한 필수적인 요소였다." 하이메 로드리게스는 좀더 단호하게 말했다. 라틴아메리카의 권력을 차지하기 위해 벌어졌던 그 모든 피비린내 나는 싸움에도 불구하고,

군주제 지지자와 공화주의자, 중앙집권주의자와 연방주의자, 의회파와 카우디요파caudillo 간의 격렬한 분쟁에도 불구하고, 자유주의적 · 대의적 · 입헌주의적 통치는 스페인어를 사용하는 국가들의 이상적인 정치로 남았다. 정말로 카우디요파와 독재자들까지도 적어도 원칙적으로는 법치주의의 우위를 인정할 것과 시민적 · 대의적 · 입헌적 통치를 궁극적으로 바람직한 통치로 인정할 것을 강요받았다.[76]

그래서 야만적인 세월이 낳은 가장 생생하고 가장 끈질기고 가장 깊게 박힌 상품이었던 흑인 노예제도는, 그것을 폐지하라는 맹공격을 받게 될 것이었다. 노예제도는 19세기 늦게까지(브라질에서는 1888년까지) 살아남았고, 이때까지는 기독교 사회에서 노예제도가 엄청난 도덕적 문제, 엄청난 비정상으로 보이지 않았지만, 독립전쟁 이후에는 그렇게 보지 않은 시절,

제퍼슨이 말했듯이 노예제도가 "가공할 범죄"로서 심문받고 매도당하지 않은 시절, 파멸되어야 할 제도로 여겨지지 않은 시절은 한순간도 없었다.

그러나 유럽에서나 미국에서나 정치적 개혁의 성취가 편안한 미래를 뜻하는 것은 아니었고, 영구적이고 되돌릴 수 없는 승리를 나타내는 것도 아니었다. 전쟁 시대 이후 새로운 미합중국은 부유한 시장과 그에 따른 경제 호황, 그리고 놀라운 정치적 안정이라는 축복을 받았지만, 새로운 스페인계 아메리카 국가들은 아무것도 없었다. 볼리바르는 죽기 전 한 달 동안 절망 속에서 라틴아메리카의 새로운 공화국들이 독재자들의 봉건토지와 무정부 상태의 도시국가들로 붕괴하는 것을 지켜보면서, 자신이 알던 아메리카는 통제할 수 없다고 기록하였다. 볼리바르는 "혁명을 수행하는 사람들은 쟁기로 바다를 일군다…… 이 국가는 틀림없이 억제되지 않은 군중의 손에, 그다음엔 폭군들의 손에 떨어질 것이다"라고 썼다. 그러나 볼리바르 자신과 독립전쟁 세대들의 활기찬 청년기에 볼리바르가 너무나도 열렬히 표현했던 이상들, 예컨대 "인간의 권리, 일하고 생각하고 말하고 쓸 수 있는 자유…… 천진함, 인간성 그리고 평화가 다스리고 법의 지배 아래 평등과 자유가 승리하는 정부"는 살아남았다. 비록 실현되지 않고 때때로 무시당하고

거부당했다 해도, 이 이상들은 끈질기게 살아남았고 계속해서 대서양 세계의 문화들을 통일하였다.[77]

상당한 수준에서 서아프리카의 사람들과 문화에 연결되어 있는 유럽과 서반구는 계몽주의 시대 이래로 다방면에서 서로 다른 길을 걸어왔고, 19세기를 거치며 전 지구적인 세계체제의 일부가 되었다. 하지만 그 전 수백 년 동안, 유럽과 서반구는 독특한 지역 통합체regional entity를 형성했다. 이 지역적 통합체는 정착 시대가 남긴 지울 수 없는 흔적(격심한 불안정, 문화적 충돌과 단절, 인종 차별, 잔인한 경제적 활력)과 후대의 이상이 남긴 지울 수 없는 흔적(자치정부, 전제 정치로부터의 해방, 세상은 가장 고귀한 열망을 향해 열려 있다는 의식)을 간직하고 있었다. 무자비하지만 기발하고 압제적이지만 창조적인 착취적 경제력과, 대서양 세계에서 공유되었던 계몽주의 운동의 이상주의가 결합한 것, 이것이야말로 근대 초 대서양 역사가 남긴 궁극적이고 영원한 유산이다.

그러나 몇몇 국가들의 역사의 합이 아니라, 이 국가들 모두가 공유하고 모두를 아우르는 이 역사의 전말은 아직 끝나지 않은 이야기이다.

감사의 글

나는 이 책의 초고를 읽고 사소한 실수들을 고쳐주고 라틴아 메리카 역사의 주요 주제들에 대해 다시 생각하도록 도와준 존 워맥John Womack의 비판에 감사를 드린다. 엠마 로스차 일드Emma Rothschild는 냉정하고 예리한 눈으로 초고를 관 대하게 읽어주었으며 그의 논평은 가치를 따질 수 없을 만큼 귀했다. 나는 또한 훌륭한 인문학 후원자이며 대서양 역사 세 미나를 가능하게 해준 앤드루 W. 멜론 재단Andrew W. Mellon Foundation에게 큰 빛을 졌다. 팻 디널트Pat Denault는 모든 면에서 효율적이고 우아하게 세미나를 운영해주었다. 그 리고 나는 진저 호킨스Ginger Hawkins의 참고문헌 수집, 컴 퓨터 기술과 아낌없는 응원에 크게 빚졌다. 무엇보다 모든 면 에서 나에게 그리고 자기 자신에게 도전한 젊은 역사가들에게 이 글을 헌정하며 감사를 드리는 바이다.

옮긴이의 글

이 책의 저자 버나드 베일린(1922-현재)은 현재 하버드 대학 명예석좌교수로 한마디로 미국 역사학계를 대표하는 세계적 석학이다. 베일린 교수는 "미국에서 가장 영향력 있는 현역 역사가들 가운데 한 사람으로 지난 30년간 미국 역사학계를 지배해온 세계에서 가장 혁신적이고 걸출한 역사가"라고 평가받고 있다.

베일린 교수는 미국 동북부 코네티컷 주에서 태어나 명문 윌리엄스 대학에서 학사(1945)를 마치고, 하버드 대학에서 석사(1947)와 박사(1953)학위를 받았다. 1953년에 곧바로 하버드 대학의 조교수로 임명되었으며, 불과 8년 만에 정교수로 승진할 정도로 초기부터 연구업적을 인정받았다.

1950년부터 1992년 사이에 저서 8권, 논문 26편, 자료편집 3권, 논문집 4권, 공저 2권 등을 출간했다. 세계적 석학으로서는 그다지 많지 않아 보이지만, 그의 연구업적은 모두 역사학계에 엄청난 영향을 끼친 탁월한 저작들이다. 3권의 저서와 1권의 편저가 퓰리처상을 비롯한 여러 저술상을 수상하였고, 그의 저서들은 문고판으로 여러 판을 거듭해오고 있다.

또한 그는 미국역사학회 회장(1981), 미국학술원, 전국교육학술원, 영국역사학회 등 국내외 수많은 학술단체에 관여하여 미국 역사학계의 중추적 인물로 자리매김해왔다.

베일린 교수는 늘 새로운 문제를 제기하고, 실증적 분석을 바탕으로 사회상황의 개별 사건과 인간에 대한 결정론을 거부하고, 주어진 사회상황에서 개별 사건-인간의 창조적 역동성을 강조해왔다. 새로운 주제를 새로운 자료를 바탕으로 새로운 시각으로 분석하였기 때문에, 그의 저작들은 역사학계에 지속적으로 영향력을 끼쳐왔다.

그의 연구는 크게 세 시기로 나누어 볼 수 있다. 1) 1950년대-1960년 초에는 주로 초기 식민지 시대의 미국의 사회사 연구에 집중하였다. 2) 1960년대 초-1970년대에는 사회사적 연구에서 사상사적 연구로 전환하여 미국 독립혁명의 기원과 성격에 대한 연구를 발표하였다. 3) 1970년대 후반-현재에는 사상사적 연구에서 거시적인 사회문화사적 연구로 전향하여, 초기 미국을 대서양 세계의 일부로 파악하고 그 발전과정에서 미국이 형성되는 과정을 해명하려고 노력하였다.

『대서양의 역사』는 분량은 많지 않지만 3기의 연구를 집약해서 보여주는 주요 저작이라고 할 수 있다. 베일린 교수는 십수 년 동안 하버드 대학에서 대서양 역사 세미나를 주도해왔는데, 『대서양의 역사』는 세미나에서 수많은 학자들과 주고받은 활발한 연구와 토론의 산물이라 하겠다.

『대서양의 역사』는 2개의 서로 구별되지만 동시에 연결된 글로 이루어져 있다. 1부 '대서양 역사의 개념'은 1996년『여정Itinerario』에 발표한 논문을 재구성한 것이고, 2부 '대서양 역사의 현황에 관하여'는 대서양 세계의 유형을 큰 그림으로 그려본 것이다. 이 책은 아메리카의 비교사 서술의 모범을 제공한다는 점에서 매우 고무적이다. 그러나 아쉬운 점도 있다. 대서양 세계는 유럽, 아메리카와 아프리카로 구성되지만, 『대서양의 역사』는 주로 유럽과 아메리카에만 집중하여 상대적으로 아프리카는 비중 있게 다루지 않는다는 점이다. 투생 루베르튀나 장-자크 드사린과 같은 아이티 혁명가들에 대해 전혀 언급하지 않은 점들이 그 예라 하겠다.

역자는 하버드 대학 옌칭연구소의 초빙연구원으로 1999년 7월부터 2000년 여름까지 1년간 하버드 대학에서 연구하는 특권을 누린 적이 있다. 당시에 나는 자유롭게 여러 강의와 세미나에 참가하였는데, 아프리카사와 근대 유럽의 가족사 세미나에 참석하면서 이제까지 집중했던 프랑스 혁명사에서 벗어나 새로운 분야에 눈뜨게 되었다. 베일린 교수의 명성은 익히 알고 있었지만 당시에는 대서양 역사보다는 아프리카사에 더 흥미를 느끼던 터라, 그가 주도하던 대서양 세미나는 한 번 참석하는 것으로 그치고 말았다.

베일린 교수의 『대서양의 역사』를 번역하기로 결정한 것은 2006년이었다. 국내 학계에서도 지구사에 대한 관심이 부쩍 높아지면서, 역자도 새로운 분야인 지구사에 관심을 갖고 이 책 저 책을 섭렵하던 때였다. 『대서양의 역사』는 지구사의 중요한 축을 이루는 유럽-아메리카-아프리카의 문명을 대서양 문명으로 묶어서 이해하고자 한다는 점에서, 지구사에 대한 주요한 입문서라고 판단하여 번역을 해보기로 결정하였다.

120쪽 정도의 얇은 책이라 쉽게 그리고 빨리 번역할 것으로 예상했지만, 막상 번역을 시작하자 여러 난관에 봉착하였다. 베일린 교수는 문체가 만연체여서 한 문장이 두 쪽에 걸치는 경우도 종종 있었고, 책의 내용은 유럽과 아메리카 그리고 아프리카의 온갖 연구업적들을 총망라할 만큼 방대했다.

베일린 교수는 대가답게 학문적 엄밀성뿐만 아니라 수려하고도 치밀한 문장으로도 유명하다. 그의 문장은 본받기 어려운 독특한 명문으로 미국의 지식인들 사이에서 정평이 나 있다. 그는 만연체의 묘미를 즐길 수 있는 화려한 문체를 구사하여 당대인들의 사고와 감정을 깊이 있게 표현하는 뛰어난 문장가이다.

더욱이 그는 방대한 양의 지식을 매우 압축적으로 표현하는 능력을 가지고 있어서, 번역자로서는 이만저만 곤혹스러운 것이 아니었다. 베일린 교수의 『미국혁명의 이데올로기적 기원』을 번역한 베일린 교수의 제자이며 현재 서울대 교수인 배영수 교수도 역자와 똑같은 어려움을 호소한 바 있다.

번역하는 과정에서 익숙하지 않은 내용이나 문장이 있으면 같은 과의 동료 교수인 도널드 벨로미 교수에게 종종 신세를 졌다. 하버드 대학 사학과에서 박사학위를 받았고 미국사를 전공한 벨로미 교수 덕분에 저자에게 직접 한국어판 서문을 부탁할 수 있었다. 이 자리를 빌려 벨로미 교수의 따뜻한 배려와 친절에 감사를 전한다.

이제 어엿한 대학생으로 성장한 딸 은실이는 나의 책 마무리를 성심껏 도와주었다. 딸이 성장하여 나의 작업을 도왔다는 사실이 참으로 뿌듯하다. 늘 나의 곁에서 응원해주는 아내 은미와 아들 성현에게 고마움을 전한다.

이 책의 번역은 전적으로 본인의 책임이다. 독자들의 성원과 지적을 바란다. 이 작은 책이 국내학계에서 새로운 세계사에 대한 관심을 확대하는 데 작으나마 도움이 되기를 바란다.

기나긴 겨울을 보내고 노고단 언덕에서
2010년 5월
백인호 씀

후주

I. 대서양의 개념

1. 1999년에 열린 함부르크 대서양 역사 회의는 주최자인 호르스트 피취만 교수에 의해 한 권의 책으로 출간되었다. *Atlantic History: History of the Atlantic System 1580-1830...* (Göttingen, 2002). 1999년 "대서양 역사의 성격"에 대한 네덜란드 회의에서 발표된 논문들은 *Itinerario*, 23, no.2 (1999)에 포럼 형식으로 출간되었다. 마르셀 도리니Marcel Dorigny는 위의 논문들을 "L'Atlantique" in *DixHuitième Siècle*, 33 (2001)에 발표하였다. 2000년에 시카고에서 열린 미국역사학회에서 가진 집담회의 제목은 "The Atlantic World: Emerging Themes in a New Teaching Field"였다. Cf. Nicholas P. Canny, "Writing Atlantic History; or, Reconfiguring the History of Colonial British America", *Journal of American History*, 86 (1999), 1093-1114; Canny, "Atlantic History: What and Why?", *European Review*, 9 (2001), 399-411; and David Armitage and Michael

J. Braddick, eds., *The British Atlantic World*, 1500-1800 (New York, 2002). 맬릭 가쳄이 편집한 역사학 회고지의 특별호는 대서양 역사 세미나에서 발표된 논문모음집이다. *Historical Reflections/ Réflexions Historiques*, 29 (2003), edited by Malick W. Ghachem, "Slavery and Citizenship in the Age of the Atlantic Revolutions".

2. *The New Republic*, Feb. 17, 1917, p. 60; Ronald Steel, *Walter Lippmann and the American Century* (Boston, 1980), p. 111; Thomas J. Knock, *To End All Wars: Woodrow Wilson and the Quest for a New World Order* (Princeton, N.J., 1992), pp. 119-120, 127, 201.

3. Forrest Davis, *The Atlantic System* (New York, 1941), p. xi.

4. Walter Lippmann, *U.S. War Aims* (Boston, 1944), pp. 78, 87; Steel, *Lippmann*, pp. 339, 380, 404ff.

5. Melvin Small, "The Atlantic Council—The Early Years" (MS) NATO report, June 1, 1998(NATO website: www.nato.int/acad/fellow/96-98/small.pdf), pp. 9, 12, 14, 32, 34, 35; "The Atlantic Coincil," *The Atlantic Community Quarterly*, 1, no. 2 (1963) [preface]; "About this Quarterly," in ibid., no. 1 (1963), 4; ibid., nos. 3-4 (1963). 나는 스몰의 유용한 논문과 대서양 평의회에 대한 정보에 대하여 케네스 위스브로드Kenneth Weisbrode에게 감사드린다.

6. Ross Hoffman, "Europe and the Atlantic Community,"

Thought, 20 (1945), 25, 34. 대서양 공동체 형성에 대한 호프먼의 견해는 다음을 참조. *The Great Republic* (New York, 1942),chap. vi. 호프먼에 대해서는 다음을 참조. Patrick Allitt, *Catholic Intellectuals and Conservative Politics in America*, 1950-1985 (Ithaca, N.Y., 1993), pp. 49-58. 나는 이 시대의 공공정책 토론에서 가톨릭 지식인이 수행한 역할에 대하여 존 맥그리비John McGreevy 교수에게 감사드리며, 칼튼 헤이즈에 대한 유용한 정보들을 담은 자신의 책 초고를 보도록 허락해준 앨릿 교수에게 감사드린다. Allitt, *Catholic Converts: British and American Intellectuals Turn to Rome* (Ithaca, N.Y., 1997)

7. Carlton J. H. Hayes, "The American Frontier—Frontier of What?" *American Historical Review*, 51(1946), 206, 210, 208, 213 [이후에는 *AHR*로 약기함]

8. Frederick B. Tolles, *Quakers and the Atlantic Culture* (New York, 1960), pp. 3, x.

9. H. Hale Bellot, "Atlantic History," *History*, n.s., 31 (1946), 61-62.

10. Robert R. Palmer, "American Historians Remember Jacques Godechot," *French Historical Studies*, 61 (1990), 882; Jacques Godechot, *Historire de l'Atlantique* ([Paris], 1947), pp. 1, 2, 332-333; C. N. Parkinson, *History*, n, s., 34(1949), 260. 5년 후에도 고드쇼는 대서양을 혁명 직전에 프랑스 정부로부터 도움을 청해야 하는 프랑스 해안 도시의 경제문제의 근원이

라는 좁은 의미로만 이해하고 있었다. Godechot, "La France et les problèmes de l'Atlantique à la veille de la Révolution," *Revue de Nord*, 39, no. 142 (1954), 231-244.

11. Jacques Pirenne, *Grands Courants de l'Histoire Universelle* (Neuchâtel, 1944-1956), III; Michael Kraus, *The Atlantic Civilization: Eighteenth-Century Origins* ([1949] Ithaca, N.Y., 1966), pp. viii, 308-314; Vitorino Magalhães Godinho, "Problèmes d'économie atlantique: Le Portugal, les flottes dusucre et les flottes de l'or (1670-1770)," *Annales, économies, sociétés, civilisations*, 5 (1950), 184-197; Max Silberschmidt, "Wirtschaftshistorische Aspekte der Neueren Geschichte: Die Atlantische Gemeinschaft," *Historische Zeitschrift*, 171 (1951), 245-261; Huguette and Pierre Chaunu, "Économie atlantique. Économie mondiale (1504-1650): Problèmes de fait et de méthode," *Cahiers d'Histoire Mondiale—Journal of World History—Cuadernos de Historia Mundial*, 1 (1953), 91-104 (English translation in Peter Earle, ed., *Essays in Euro-pean Economic History, 1500-1800* [Oxford, 1974], pp. 113-126); Huguette Chaunu and Pierre Chaunu, *Séville et l'Atlantique (1504-1650)...* (Paris, 1955-1959), I, ix.

12. Charles Verlinden, "Les Origines coloniales de la civilisation atlantique," *Cahiers d'Histoire Mondiale—Journal of World*

History—Cuadernos de Historia Mundial, 1 (1953), 378, 398, 383.

13. UNESCO, Informatory Circular (CUA 52, June 29, 1953), and Basic Paper (CUA 57, February 9, 1954); Lucien Febvre et al., *Le Nouveau Monde et l'Europe...* (Neuchâtel, 1955).

14. Herbert Bolton, "The Epic of Greater America," *AHR*, 38 (1933), 448-474; Pedro Armillas, *The Native Period in the History of the New World*, trans. Glenda Crevenna and Theo Crevenna (Maxico City, 1962), vol. I of the series *Profram of the History of America;* Silvio Zavala, *The Colonial Period in the History of the New World*, trans. Max Savelle (Mexico City, 1962), vol. II of *Program of the History of America*, pp. xii-xiii. Zavala's original, full-length work appeared after the translated, abridged version: *El Mundo Americano en la Epoca Colonial* (Mexico City, 1967), 2 vols.; Charles C. Griffin, *The National Period in the History of the New World: An Outline and Commentary* (Mexico City, 1961), vol. III of *Program of the History of America*; Roy F. Nichols, "A United States Historian's Appraisal of the History of America project," *Revista de Historia de America*, 43 (1957), 144-158.

15. John Parry, "Critique," in *Programa de Historia de America: Introducciones y Comentrarios* (Mexico City, 1955), pp. 66-73; Charles Verlinden, *The Beginnings of Modern*

Colonization... , trans. Yvonne Freccero (Ithaca, N.Y., 1970), pp. 74-75 (Spanish original in *Atlantida*, 4 [1966], 295-296); idem, *Les Origines de la Civilisation Atlantique: De la Renaissance à l'Age des Lumière*s (Paris, 1966), pp. 7-8; Verlinden's view is referred to by Zavala in "A General View of the Colonial History of the New World," *AHR*, 66 (1961), 918; Zavala, Colonial Period, pp. xii-xiii, xxviii; Lewis Hanke, ed., *Do the Americas Have a Common History? A Critique of the Bolton Theory* (New York, 1964), p. 43; Charles Gibson, in *Handbook of Latin American Studies*, No. 25 (Gainesville, Fla., 1963), p. 197. Cf. the symposium, "Have the Americas a Common History?" *Canadian Historical Review*, 23 (1942), 125-156.

16. Palmer, "Historians Remember Godechot," p. 882; Palmer, "The World Revolution of the West, 1763-1801," *Political Science Quarterly*, 69 (1954), 4; Palmer "Reflections on the French Revolution," *Political Science Quarterly*, 57 (1952), 66.

17. Jacques Godechot and Robert R. Palmer, "Le Problème de l'Atlantique du XVIIIème au XXème Siècle," *Relazioni del X Congresso Internazionale di Scienze Storiche* (Florence, [1955]), V (*Storia, Contemporanea*), 175-177, 180, 202, 208, 207, 204, 216-219, 238.

18. Palmer, "Historians Remember Godechot," p. 883. The respondents cited: Donald McKay, G. S. Graham, Charles Webster, B.F. Hyslop, B. Lesnodorski, Eric Hobsbawm. *Atti del X Congresso Internazionale, Roma 4-11 Settembre 1955...* (Rome, [1957]), pp. 566-579.

19. Palmer, "Historians Remember Godechot," p. 883.

20. Bernard Bailyn, "The Challenge of Modern Historiograghy," *AHR*, 87 (1982), 11-18.

21. Chaunu and Chaunu, *Séville et l'Atlantique*, VIII (Part 1), 5, xiii, 7-8, 12-16; Manoel Cardozo, review, *AHR*, 68 (1953), 437-438; Roland Hussey, review, *AHR*, 63 (1958), 731.

22. Philip D. Curtin, *The Atlantic Slave Trade: A Census* (Madison, Wisc., 1969); idem, "Revolution and Decline in Jamaica, 1830-1865: The Role of Ideas in a Colonial Society" (Ph. D. diss., Harvard University, 1953); idem, *Two Jamaicas: The Role of Ideas in a Tropical Colony, 1830-1865* (Cambridge, Mass., 1955); idem, *The Image of Africa: British Ideas and Action, 1750-1850* (Madison, Wisc., 1964); idem, ed., *Africa Remembered: Narratives by West Africans from the Era of the Slave Trade* (Madison, Wisc., 1967); idem, *Economic Change in Precolonial Africa: Senegambia in the Era of the Slave Trade* (Madison, Wisc., 1975); Paul E. Lovejoy, *Africans in Bondage: ... Essays in Honor of Philip*

D. Curtin... (Madison, Wisc., 1986) 커틴의 영향을 받은 두드
러진 작업으로는 다음이 있다. Herbert S. Klein, *The Middle
Passage...* (Princeton, N. J., 1978); Henry A. Gemery and Jan
S. Hogendorn, eds., *The Uncommon Market: Essays in the
Economic History of the Atlantic Slave Trade* (New York,
1979); and Barbara L. Solow, ed., *Slavery and the Rise of the
Atlantic System* (Cambridge, 1991).

23. David Eltis, Stephen Behrendt, David Richardson, and
Herbert S. Klein, eds., *The Trans-Atlantic Slave Trade:
A Database on CD-ROM* (Cambridge, 1999); see the
special issue devoted to the *Database: William and mary
Quarterly*, 3d ser., 58 (Jan. 2001) [이후에는 *WMQ*로 약기함].

24. Abbot E. Smith. "The Transportation of Convicts to the
American Colonies in the Seventeenth Century," *AHR*,
39 (1934), 232-249; idem, *Colonists in Bondage: White
Servitude and Convict Labor in America, 1607-1776* (Chapel
Hill, N.C., 1947); Mildred Campbell, "Social Origins of Some
Early Americans," in James M. Smith, ed., *Seventeenth-
Century American: Essays in Colonial History* (Chapel Hill,
N.C., 1959), PP. 63-89; David W. Galenson, *White Servitude
in Colonial America: An Economic Analysis* (Cambridge,
1981); David W. Galenson, "'Middling People' or 'Common
Sort'?: The Social Origins of Some Early Americans

Reexamined," with a Rebuttal by Mildred Campbell, *WMQ*, 35 (1978), 499-540; David W. Galenson, "The Social Origins of some Early Americans: Rejoinder," with a Reply by Mildred Campbell, *WMQ*, 36 (1979), 264-286; Bernard Bailyn, *Voyagers to the West...* (New York, 1986); A. Roger Ekirch, *Bound for America: The Transportation of British Convicts to the Colonies*, 1718-1775 (Oxford, 1987) 훗날 앨리슨 게임스Alison Games는 자신의 책에 런던항의 1635년 목록을 사용했다. *Migration and the Origins of the English Atlantic World* (Cambridge, Mass., 1999).

25. Aubrey C. Land, Lois G. Carr, and Edward C. Papenfuse, eds., *Law, Society, and Politics in Early Maryland...* (Baltimore, 1977); Thad W. Tate and David L. Ammerman, eds., *The Chesapeake in the Seventeenth Century* (Chapel Hill, N.C., 1979); Lois G. Carr, Philip D. Morgan, and Jean B. Russo, eds., *Colonial Chesapeake Society* (Chapel Hill, N.C., 1988). 세부 주제를 다룬 중요한 작업으로는 다음이 있다. Russell R. Menard, "Population, Economy, and Society in Seventeenth-Century Maryland," *Maryland Historical Magazine*, 79 (1984), 71-92; Lois G. Carr, Russell R. Menard, and Lorena S. Walsh, *Robert Cole's World: Agriculture and Society in Early Maryland* (Chapel Hill, N.C., 1991); Lois G. Carr, and Lorena S. Walsh, "The Planter's Wife:

The Experiences of White Women in Seventeenth-Century Maryland," *WMQ*, 34 (1977), 542-571; Darrett B. Rutman and Anita H. Rutman, *A Place in Time Middlesex County, Virginia, 1650-1750* (New York, 1984); James Horn, *Adapting to a New World: English Society in the Seventeenth-Century Chesapeake* (Chapel Hil, l N.C., 1994).

26. Marianne S. Wokeck, "The Flow and the Composition of German Immigration to Philadelphia, 1727-1775," *Pennsylvania Magazine of History and Biography*, 105 (1981), 249-278; idem, *Trade in Strangers: The Beginnings of Mass Migration to North America* (University Park, Pa., 1999); Bernard Bailyn, *The Peopling of British North America: An Introduction* (New York, 1986), chap. i.

27. A. G. Roeber, *Palatines, Liberty, and Property: German Lutherans in Colonial British America* (Baltimore, 1993); Aaron S. Fogleman, *Hopeful Journeys: German Immigration, Settlement, and Political Culture in Colonial America* (Philadelphia, 1996); Bernard Bailyn and Philip D. Morgan, eds., *Strangers within the Realm: Ciltural Margins of the First British Empire* (Chapel Hill N.C., 1991), especially pp. 22off.

28. Mack Walker, *The Salzburg Transaction: Expulsion and Redemption in Eighteenth-Century Germany* (Ithaca N.Y.,

1992), p. 140; George F. Jones, *The Salzburger Story* (Athens, Ga., 1984).

29. Bailyn and Morgan, eds., *Strangers within the Realm;* Kerby Miller, *Emigrants and Exiles: Ireland and the Irish Exodus to North America* (New York, 1985); Nicholas, Canny, ed., *Europeans on the Move: Studies on European Migration, 1500-1800* (Oxford, 1994); David H. Fischer, *Albion's Seed: Four British Folkways in America* (New York, 1989). Cf. Forum on *Albion's Seed* in *WMQ*, 48 (1991), 223-308.

30. Angel Rosenblat, *La población de America: desde 1492 hasta la actualidad* (Buenos Aires, 1945); John TePaske, "Spanish America: The Colonial Period," in Roberto Esquenazi-Mayo and Michael C. Meyer, eds., *Latin American Scholarship since World War II...* (Lincoln, Nebr., 1971), pp. 7-8: Julian H. Steward, review of Rosenblat, *La población de America ..,* in *Hispanic American Historical Review,* 26 (1946), 353-356 [이후에는 *HAHR*로 약기함]; David P. Henige, *Numbers from Nowhere: The American Indian Contact Population Debate* (Norman, Okla., 1998), pp. 8-10; Sherburne F. Cook and Woodrow Borah, *Essays in population History...* (Berkeley, Calif., 1971-1979): vols. I and II are subtitled *Mexico and the Caribbean,* vol. III *Mexico and California; Bibliography of Magnus Mörner,* 1947-1990

(Stockholm, 1990); Magnus Mörner, *Race Mixture in the History of Latin America* (Boston, 1967); Woodrow Borah, "The Mixing of Populations," in Fredi Chiappelli, ed., *First Images of America: The Impact of the New World on the Old* (Berkeley, Calif., 1976), II, 707ff; David E. Stannard, *American Holocaust: Columbus, Christianity, and the Conquest of the Americas* (New York, 1992); Kirkpatrick Sale, *The Conquest of Paradise: Christopher Columbus and the Columbian Legacy* (New York, 1990).

31. James Lockhart, "The Social History of Latin America: Evolution and Potential," *Latin American Research Review*, 7 (1972), 17-18; Peter Boyd-Bowman, *Patterns of Spanish Emigration to the New World (1493-1580)* (Buffalo, N.Y., 1973); idem, "Spanish Emigrants to the Indies, 1595-98: A Profile," in Chiappelli, ed., *First Images of America*, II, 723-735; idem, "The Regional Origins of the Earliest Spanish Colonists of America," *Publications of the Modern Language Association of America*, 71 (1956), 1163n23.

32. Lockhart, "Social History of Latin America," pp. 13, 15-16, 8, 12, 32, 19-21, 27-30; Mark A. Burkholder and D. S. Chandler, *From Impotence to Authority* (Columbia, Mo., 1977); idem, *Biographical Dictionary of Audiencia Ministers in the Americas, 1687-1821* (Westport, Conn.,

1982); Lockhart, *The Men of Cajamarca: A Social and Biographical Study of the First Conquerors of Peru* (Austin, 1972); David A. Brading, *Miners and Merchants in Bourbon Mexico, 1763-1810* (Cambridge, 1971).

33. Stanley J. Stein and Barbara H. Stein, *The Colonial Heritage of Latin America: Essays on Economic Dependence in Perspective* (New York, 1970), pp. 17, 21, 45, 47; P. J. Bakewell, *Silver Mining and Society in Colonial Mexico...* (Cambridge, 1971); Brading, *Miners and Merchants in Bourbon Mexico*; Lewis Hanke, *The Imperial City of Potosí* (The Hague, 1956), pp. 33-37.

34. Jacob M. Price, "The Tobacco Trade and the Treasury, 1685-1733: British Mercantilism in Its Fiscal Aspects" (Ph.D. diss., Harvard University, 1954); idem, *Tobacco in Atlantic Trade: The Chesapeake, London and Glasgow, 1675-1775* (Aldershot, Eng., 1995); idem, *The Atlantic Frontier of the Thirteen Colonies and States* (Aldershot, Eng., 1996); idem, *Overseas Trade and Traders: Essays on Some Commercial, Financial and Political Challenges Facing British Atlantic Merchants, 1660-1775* (Aldershot, Eng., 1996); idem, "The Tobacco Adventure to Russia... ," in *Transactions of the American Philosophical Society*, n.s., 51, part 1, (1961); idem, *France and the Chesapeake: A History of the French Tobacco*

Monopoly, 1674-1791, and of Its Relationship to the British and American Tobacco Trades (Ann Arbor, Mich., 1973).

35. John G. Clark, *La Rochelle and the Atlantic Economy during the Eighteenth Century* (Baltimore, 1981); Paul G. Clemens, *The Atlantic Economy and Colonial Maryland's Eastern Shore: From Tobacco to Grain* (Ithaca, N.Y., 1980); David H. Sacks, *The Widening Gate: Bristol and the Atlantic Economy, 1450-1700* (Berkeley, Calif., 1991); Kenneth Morgan, *Bristol and the Atlantic Trade in the Eighteenth Century* (Cambridge, 1993); Franklin W. Knight and Peggy K. Liss, eds., *Atlantic Port Cities: Economy, Culture, and Society in the Atlantic World, 1650-1850* (Knoxville, Tenn., 1991); Bernard Bailyn, *The New England Merchants in the Seventeenth Century* (Cambridge, Mass., 1955), pp. 87-91; Frederick B. Tolles, *Meeting House and Counting House: The Quaker Merchants of Colonial Philadelphia, 1682-1763* ([1948] New York, 1963), pp. 89-95; Thomas M. Doerflinger, *A Vigorous Spirit of Enterprise: Merchants and Economic Development in Revolutionary Philadelphia* (Chapel Hill, N.C., 1986), P. 61.

36. Oliver A. Rink, *Holland on the Hudson: An Economic and Social History of Dutch New York* (Ithaca, N.Y., 1986), chap. vii.

37. Bernard Bailyn, *The origins of American Politics* (New York, 1968), esp. pp. vii-ix.

38. Clarence H. Haring, *The Spanish Empire in America* (New York, 1947), pp. 127-129, 148, 345-347; *Burkholder and Chandler, Biographical Dictionary of Audiencia Ministers*, pp. xi-xxiii; idem, *From Impotence to Authority*; Mark A. Burkholder, ed., *Administrators of Empire* (Aldershot, Eng., 1998), essays 1, 2, 4, 8, 9, 12, 14, 16; James A. Henretta, *"Salutary Neglect": Colonial Administration under the Duke of Newcastle* (Princeton, N.J., 1972), pp. 220-221; Stanley N. Katz, *Newcastle's New York: Anglo-American Politics, 1732-1753* (Cambridge, Mass., 1968); Michael Kammen, *Empire and Interest* (Philadelphia, 1970); Alison G. Olson and Richard M. Brown, eds., *Anglo-American Political Relations, 1675-1775* (New Brunswick, N.J., 1970); Alison G. Olson, *Anglo-American Politics, 1660-1775* (New York, 1973).

39. Stephen S. Webb, *The Governors-General: The English Army and the Definition of the Empire, 1569-1681* (Chapel Hill, N.C., 1979), p. xviii. Cf. Webb, *Lord Churchill's Coup: The Anglo-American Empire and the Glorious Revolution Reconsidered* (New York, 1995).

40. Alison G. Olson, *Making the Empire Work: London and*

American Interest Groups, 1690-1790 (Cambridge, Mass., 1991), p. xiii.

41. 아메리카 대륙의 국내문제에 유럽의 외교관계가 미치는 영향에 대한 생생한 예에 대해서는 다음을 참조. Patrice L. R. Higonnet, "The Origins of the Seven Years' War," *Journal of Modern History*, 40 (1968), 57-90. 프랑스 혁명 직전 아메리카에 대한 영향력을 일반적으로 상실한 것에 대해서는 다음을 참조. Michael G. Kammen, *A Rope of Sand: The Colonial Agents, British Politics, and the American Revolution* (Ithaca, N.Y., 1968), chaps. x-xv. 야심이 좌절되었음을 보여주는 초기 예로는 다음을 참조. Kenneth A. Lockridge, *The Diary, and Life, of William Byrd II of Virginia*, 1674-1744 (Chapel Hill, N.C., 1987); 후기 예로는 다음을 참조. John A. Schutz, "Succession Politics in Massachusetts, 1730-1741," WMQ, 15 (1958), 508-520; Schutz, *William Shirley...* (Chapel Hill, N.C., 1961), esp. pp. 168ff.

42. Franco Venturi, *Utopia and Reform in the Enlightenment* (Cambridge, 1971), p. 130; Caroline Robbins, *The Eighteenth-Century Commonwealthman...* (Cambridge, Mass., 1959); Bernard Bailyn, *Ideological Origins of the American Revolution* (Cambridge, Mass., 1967); J. G. A. Pocock, "Machiavelli, Harrington, and English Political Ideologies in the Eighteenth Century," *WMQ*, 22 (1965),

549-583; idem, *The Machiavellian Moment: Florentine Political Thought and the Atlantic Republican Tradition* (Princeton, N.J., 1975).

43. Benjamin Keen, "Main Currents in United States Writing on Colonial Spanish America, 1884-1984," *HAHR*, 65 (1985), 666-667.

44. D. W. Meinig, *The Shaping of America: A Geographical Perspective on 500 Years of History* (New Haven, Conn., 1986-1998), I (*Atlantic America, 1492-1800*), 64-65.

II. 대서양 역사의 현황에 관하여

1. David Eltis, "Atlantic History in Global Perspective," *Itinerario*, 23, no. 2 (1999), 141.

2. Horst Pietschmann, "Introduction: Atlantic History—History between European History and Global History," in Pietschmann, ed., *Atlantic History: History of the Atlantic System 1580-1830...* (Göttingen, 2002), pp. 35, 39, 40, 43; Renate Pieper, *Die Vermittlung einer neuen Welt: Amerika im Nachrichtennetz des Habsburgischen Imperiums, 1493-1598* (Mainz, 2000).

3. James Lockhart, "The Social History of Latin America: Evolution and Potential," *Latin American Research Review*, 7 (1972), 10, 14.

4. Cf. Fernand Braudel, *The Mediterranean and the Mediterranean World in the Age of Phillip II*, trans. Siân Reynolds ([1949] New York, 1972).

5. John H. Elliott, "Introduction: Colonial Identity in the Atlantic World," in Nicholas Canny and Anthony Pagden, eds., *Colonial Identity in the Atlantic World, 1500-1800* (Princeton, N.J., 1987), pp. 5-7.

6. John H. Elliott, "The Spanish Conquest and Settlement of America," in Leslie Bethell, ed., *The Cambridge History of Latin America* (Cambridge, 1984-), I, 162 [이후에는 *CHLA* 로 약기함]. 인디언들의 "야만"을 두고 스페인에서 일어난 논쟁에 대해서는 다음을 참조. José de Acosta, *De Procuranda Indorum Salute*, trans. and ed. G. Stewart McIntosh ([1588] Tayport, Scotland, [1996]), I, 4-6; John H. Elliott, *The Old World and the New, 1492-1650* (Cambridge, 1970), pp. 46-50; Anthony Pagden, *The Fall of Natural Man...* (Cambridge, 1982) pp. 123ff.

7. C. R. Friedrichs. "The War and German Society," in Geoffrey Parker, ed., *The Thirty Years' War* (New York, 1984), pp. 208-215; Geoffrey Parker, *Empire, War and*

Faith in Early Modern Europe (London, 2002), pp. 150-168; Robert Ergang, *The Myth of the All-Destructive Fury of the Thirty Years' War* (Pocono Pines, Pa., 1956); Barbara Donagan, "Atrocity, War Crime, and Treason in the English Civil War," *AHR*, 99 (1994), 1137-1166.

8. Bartolomé de Las Casas, *The Devastation of the Indies: A Brief Account,* trans. Herma Briffault (New York, 1974), pp. 111, 43-44; Edward Waterhouse, *A Declaration of the State of the Colony and Affaires in Virginia...* (London, 1622), reprinted in Susan M. Kingsbury, ed., *The Records of the Virginia Company of London* (Washington, D.C., 1906-1935), III, 557; Treasurer and Council for Virginia to Gov. Francis Wyatt and the Governor's Council in Virginia, August 1, 1622, reprinted in Kingsbury, ed., *Records of Virginia Company*, III, 672; George Percy, "Trewe Relacyon... [1609-1612]," in *Tyler's Quarterly Historical and Genealogical Magazine*, 3 (1921-1922), 271-273. "네덜란드에서 훈련받은 베테랑 군인들"이라는 리처드 해클루트의 표현은 드 소토De Soto의 플로리다 탐험에 대한 포르투갈인의 서술을 옮긴 그의 번역본 —전형적인 문화적 융합의 산물—헌정사에 나온다. *Virginia Richly Valued...* (London, 1609), A4 verso.

9. Joyce Chaplin, *Subject Matter: Technology, the Body, and Science on the Anglo-American Frontier, 1500-1676*

(Cambridge, Mass., 2001), pp. 264-265, 268-270. ("영국인과
아메리카 인디언 사이에 벌어진 전쟁에서 최악의 사례들을 보면
영국인들도 스페인 사람들과 별반 차이가 없었다." p. 178)

10. Allen W. Trelease, *Indian Affairs in Colonial New York:.
The Seventeenth Century* (Ithaca, N.Y., 1960), p. 72; E.
B. O'Callaghan, *History of New Netherland...* (New York,
1848), I, 269.

11. Richard S. Dunn, *Sugar and Slaves: The Rise of the Planter
Class in the English West Indies, 1624-1713* (Chapel Hill,
N.C., 1972), p. 320.

12. William Bradford, *Of Plymouth Plantation, 1620-1649*, ed.
Samuel E. Morison (New York, 1952), p. 296; Charles Orr,
*History of the Pequot War: The Contemporary Accounts of
Mason, Underhill, Vincent and Gardener* (Cleveland, 1897),
p. 81.

13. Fynes Moryson, *An Itinerary... containing His Ten Yeeres
Travell...* ([1617] Glasgow, 1907-1908), IV, 185; Nicholas P.
Canny, *The Elizabethan Conquest of Ireland: A Pattern
Established, 1565-76* (New York, 1976), pp. 160-161, 33-34,
66-67, 126-127; idem, "Atlantic History: What and Why?"
European Review, 9 (2001), 406; David B. Quinn, *England
and the Discovery of America, 1481-1620...* (London, 1974),
pp. 286-287, chaps. x and iii ; John Parker, *Books to Build*

an Empire: A Bibliographic History of English Overseas Interests to 1620 (Amsterdam, 1965), pp. 44-48, 77-81; David B. Quinn, "A List of Books Purchased for the Virginia Company," *Virginia Magazine of History and Biography*, 77 (1969), 347-360; idem, *England and the Discovery of America*, pp. 216-222; Jorge Cañizares-Esguerra, *Toward a Panamerican Atlantic: Nature, Narratives, and Identities*, chap. ii ("... Atlanticizing Demonology"), forthcoming. 출간되기 전인데도 이 책의 2장을 미리 읽도록 허락해준 카니사레스 에스게라 교수에게 감사드린다.

14. Waterhouse, *Declaration*, p. 561.

15. Canny, *Elizabethan Conquest*, pp. 127, 122; Vincent P. Carey, "John Derricke's *Image of Ireland*, Sir Henry Sidney, and the Massacre at Mullaghmast, 1578," *Irish Historical Studies*, 31 (1999), 309, 325.

16. Robert Bennett to Edward Bennett, June 9, 1623, in Kingsbury, ed., *Records of Virginia Company*, IV, 221-222.

17. Lewis Hanke, *The Spanish Struggle for Justice in the Conquest of America* (Philadelphia, 1949); idem, *All Mankind Is One...* (DeKald, Ill., 1974); John H. Elliott, "Spain and America in the Sixteenth and Seventeenth Centuries," *CHLA*, I, 306-309; on Acosta, Jorge Cañizares-Esguerra, *How the Write the History of the New World: Histories,*

Epistemologies, and Identities in the Eighteenth-Century Atlantic World (Stanford, Cailf., 2001), esp. pp. 70-75, 82-83; on Vieira, Thomas M. Cohen, *The Fire of Tongues: António Vieira and the Missionary Church in Brazil and Portugal* (Standford, Calif., 1998), and Charles R. Boxer, *A Great LusoBrazilian Figure, Padre António Vieira, S. J., 1608-1697* (London, 1957); on Harriot, John W. Shirley, *Thomas Harriot: A Biography* (Oxford, 1983), pp. 151ff.

18. James A. Williamson, *English Colonies in Guiana and on the Amazon: 1604-1668* (Oxford, 1923), chap. iv and p. 186; Victor Enthoven, "A Dutch Crossing: Migration between the Netherlands, Africa, and the Americas, 1600-1800" (Working Paper, International Seminar on the History of the Atlantic World, 1500-1800, Harvard University, 2004), pp. 4, 8 [이후에는 Working Paper, Atlantic History Seminar로 약기함]; Cornelius Goslinga, *The Dutch in the Caribbean and on the Wild Coast, 1580-1680* (Assen, The Netherlands, 1971), p. 433; O'Callaghan, *History of New Netherlands*, II, 464-465.

19. 리처드 파레스Richard Pares는, 유럽 여러 나라 출신으로 서인도 제도를 처음으로 개척한 자들을 "거친 사내들"이라고 부르고, 그들이 말썽을 일으키고, 어마어마하게 마셔대고, 결투를 벌이고, 납치와 살인을 저지르고, 상대가 누구든 지역 권력에 저항했다고 썼다. Pares, *Merchants and Planters* (Cambridge, 1960:

Supplement 4 of the *Economic History Review*), p. 15.

20. Dunn, *Sugar and Slaves*, pp. 256-258.

21. Ibid., p. 120; C. C. Hall, ed., *Narratives of Early maryland, 1633-1684* ([1910] New York, 1925), p. 34; Hilary McD. Beckles, "A 'riotous and unruly lot': Irish Indentured Servants and Freeman in the English West Indies, 1644-1713," *WMQ*, 47 (1990), 510, 518-520.

22. Kittiya Lee, "Among the Vulgar, the Erudite, and the Sacred: The Oral Life of Colonial Amazonia" (Working Paper, Atlantic History Seminar, 2004), pp. 1, 10; Dunn, *Sugar and Slaves*, p. 149.

23. Murdo J. Macleod, "Spain and America: The Atlantic Trade, 1492-1720," *CHLA*, I, 352-353; Donna Merwick, *Possessing Albany, 1630-1710: The Dutch and English Experiences* (Cambridge, 1990), esp. pp. 77-84.

24. Philip D. Morgan, *Slave Counterpoint...* (Chapel Hill, N.C., 1998), pp. 118, 534, 549, 581, 603, 622; Joseph S. Wood, *The New England Village* (Baltimore, 1997), chap. i, esp. pp. 37ff; Mark A. Burkholder and Lyman L. Johnson, *Colonial Latin America* (New York, 1990), pp. 174-182; James Horn, *Adapting to a New World: English Society in the Seventeenth-Century Cheapeake* (Chapel Hill, N.C., 1994), pp. 429, 427, 419; Lockhart, "Social History of Colonial

Spanish America," p. 35.

25. Ida Altman, *Transatlantic Ties in the Spanish Empire: Brihuega, Spain, and Puebla, Mexico, 1560-1620* (Stanford, Calif., 2000), pp. 186, 185, 33, 37.

26. Dunn, *Sugar and Slaves*, pp. 281-286.

27. John H. Elliott, "Renaissance Europe and America: A Blunted Impact?" in Fredi Chiappelli, ed., *First Images of America: The Impact of the New World on the Old* (Berkeley, Calif., 1976), I, 20-21.

28. Elliott, *Old World and the New*, chaps. i, ii (quotation at p. 18; cf. p. 39); Henry R. Wagner and Helen R. Parish, *The Life and Writings of Bartolomé de Las Casas* (Albuquerque, 1967), p. 267; Benjamin Schmidt, "American Allies: The Dutch Encounter with the New World, 1492-1650" (Working Paper, Atlantic History Seminar, 1998), p. 4. 이 주제의 발전 과정은 다음을 참조. Schmidt, *Innocence Abroad: The Dutch Imagination and the New World, 1570-1670* (Cambridge, 2001). 호세 데 아코스타José de Acosta의 *Natural and Moral History of the Indies* (1590)와 그 번역 "into all the principal languages of Europe"의 재발간에 대해서는 다음을 참조. David A. Brading, *The First America: The Spanish Monarchy, Creole Patriots, and the Liberal State, 1492-1867* (Cambridge, 1991), p. 184.

29. Shirley, *Thomas Harriot*, pp. 143ff. On graphic portrayals: Hugh Honour, *The New Golden Land: European Images of America from the Discoveries to the Present Time* (New York, 1975), chaps. i-iv; and Paul Hulton, ed., *America, 1585: The Complete Drawings of John White* (Chapel Hill, N.C., 1984).

30. Josep M. Barnadas, "The Catholic Church in Colonial Spanish America," *CHLA*, I, 515; Elliott, *Old World and the New*, pp. 25-27.

31. Anthony Pagden, *The Uncertainties of Empire...* (Aldershot, Eng., 1994), chap. v; 『유토피아』가 인디언들에 대한 라틴아메리카 이상주의에 영감을 주기만 한 것은 아닐지도 모른다. 누군가의 주장처럼 "플라톤과 신세계 발견은 유토피아의 초기 이상에서 일정한 역할을 했다"면, 그리고 라스 카사스의 『인도 제국 구제 기록』이 토머스 모어가 책을 쓸 때 그의 사상을 형성했다면, 『유토피아』는 라틴아메리카 이상주의의 산물이었다고 볼 수도 있다. Dominic Baker-Smith, "Utopia and the Franciscans," in A. D. Cousin and Damian Grace, eds., *More's Utopia and the Utopian Inheritance* (Lanham, Md., 1995), p. 50; Victor N. Baptiste, *Bartolomé de Las Casas and Thomas More's Utopia: Connections and Similarities...* (Culver City, Calif., 1990).

32. Elliott, "Spain and America," p. 307; Ida Altman, Sarah Cline, and Juan Javier Pescador, *The Early History of*

Greater Mexico (Upper Saddlebrook, N.J., 2002), p. 125. On Quiroga, see Fintan B. Warren, *Vasco de Quiroga and His Pueblo—Hospitals of Santa Fe* (Washington, D.C., 1963), esp. chaps. iii, iv, vi, and ix, and Pagden, *Uncertainties of Empire*, chap. v; Silvio Zavala, "The American Utopia of the Sixteenth Century," *Huntington Library Quarterly*, 10 (1947), 337-347; Georges Baudot, *Utopia and History in Mexico...*, trans. Bernard R. Ortiz de Montellano and Thelma Ortiz de Montellano ([1977] Niwot, Colo., 1995), pp. xv, 87, 88, 312, 92, 89, 245, 313, 398; John L. Phelan, *The Millennial Kingdom of the Franciscans in the New World...* (Berkeley, Calif., 1956); Ernest L. Tuveson, *Millennium and Utopia: A Study in the Background of the Idea of Progress* (Gloucester, Mass., 1972). On the Jesuits' "reductions," Barbara Ganson, *The Guaraní under Spanish Rule in the Río de la Plata* (Stanford, Calif., 2003); Philip Caraman, *The Lost Paradise: An Account of the Jesuits in Paraguay, 1607-1768* (London, 1975). On Motolinía, see Jacques Lafaye, *Quetzalcóatl and Guadalupe: The Formantion of Mexican National Consciousness, 1531-1815*, trans. Benjamin Keen (Chicago, 1976), pp. 139-142.

33. J. F. Maclear, "New England and the Fifth Monarchy: The Quest for the Millennium in Early American Puritanism,"

WMQ, 32 (1975), 223-260 (quotations at pp. 223, 236); Richard W. Cogley, *John Eliot's Mission to the Indians before King Philip's War* (Cambridge, Mass., 1999), pp. 76-79, 114-115.

34. E. B. O'Callaghan et al., eds., *Documents Relative to the Colonial History of the State of New-York* (Albany, N.Y., 1856-1887), III, 346; on Plockhoy, see Leland Harder, "Plockhoy and His Settlement at Zwaanendael, 1663," *Mennonite Quarterly Review*, 23 (1949), 188; Leland Harder and Marvin Harder, *Plockhoy From Zurik-zee* (Newton, Kans., 1952), pp. 81-83, 16-17; Ellis L. Raesly, *Portait of New Netherland* (New York, 1945), p. 290.

35. Bernard Bailyn, *The Peopling of British North America: An Introduction* (New York, 1986), pp. 123-124.

36. Christine Daniels and Michael V. Kennedy, eds., *Negotiated Empires... 1500-1820* (New York, 2002); Lee, "Among the Vulgar," p. 20; Dunn, *Sugar and Slaves*, pp. 165, 149, 151; Peggy Liss, *Atlantic Empires: The Network of Trade and Revolution*, 1713-1826 (Baltimore, 1983), chap. iv; James Lockhart and Stuart B. Schwartz, *Early Latin America* (Cambridge, 1983), p. 66; Burkholder and Johnson, *Colonial Latin America*, pp. 174-182; Womack, in personal correspondence.

37. Pietschmann, "Introduction: Atlantic History," pp. 14, 41.

38. John Thornton, *Africa and Africans in the Making of the Atlantic World, 1400-1680* ([1992] Cambridge, 1998), pp. 14-21, 41-42; D. W. Meinig, *The Shaping of America: A Geographical Perspective on 500 Years of History* (New Haven, Conn., 1986-1998), I (*Atlantic America, 1492-1800*), 6; Paul Butel, *The Atlantic*, trans. Iain H. Grant (New York, 1999), p. 3; Pierre and Huguette Chaunu, *Séville et l'Amérique aux XVIe et XVIIe siècles* (Paris, 1977), pp. 222, 224-225; Jacques Godechot and Robert R. Palmer, "Le Problème de l'Atlantique du XVIIIème au XXème Siècle," *Relazioni del X Congresso Internazionale di Scienze Storiche* (Florence, [1955]), V (*Storia Contemporanea*), 181-188.

39. Bernard Bailyn, *The New England Merchants in the Seventeenth Century* (Cambridge, Mass., 1955), pp. 82-85, 88; Larry Gragg, *Englishmen Transplanted: The English Colonization of Barbados, 1627-1660* (Oxford, 2003), pp. 109-110, 138-139.

40. Peter Coclanis, *The Shadow of a Dream: Economic Life and Death in the South Carolina Low Country, 1670-1920* (New York, 1989), p. 133; John J. McCusker and Russell Menard, *The Economy of British America, 1607-1789* (Chapel Hill, N.C., 1991), pp. 174-179. 표 8.2는 남유럽으로 가는 17퍼센트와

서인도 제도로 가는 18퍼센트를 보여준다.

41. Butel, *Atlantic*, pp. 139-140; Paul Butel, "France, the Antilles, and Europe in the Seventeenth and Eighteenth Centuries: Renewal of Foreign Trade," in James D. Tracy, ed., *The Rise of Merchant Empires: Long-Distance Trade in the Early Modern World, 1350-1750* (Cambridge, 1990), p. 159; H. E. S. Fisher, *The Portugal Trade...* (London, 1971), esp. pp. 128-129, 138-139; Liss, *Atlantic Empires*, p. 83.

42. David Hancock, *Citizens of the World: London Merchants and the Integration of the British Atlantic Community, 1735-1785* (Cambridge, 1995); D. A. Farnie, "The Commercial Empire of the Atlantic, 1607-1783," *Economic History Review*, 2d ser., 15 (1962-1963), 205-218.

43. 런던 주요 회사들—이 경우에는 Lascelles & Maxwell—의 범대서양 연결망에 대한 철저한 연구로는 다음을 참조. Simon D. Smith, "Merchants and Planters *Revisited*," *Economic History Review*, 2d ser., 55 (2002), 434-465, and idem, "Gedney Clarke of Salem and Barbados's Transatlantic Super-Merchant," *New England Quarterly*, 76 (2003), 499-549. 브리스톨과 영국-포르투갈 연결망에 대해서는 다음을 참조. Kenneth Morgan, *Bristol and the Atlantic Trade in the Eighteenth Century* (Cambridge, 1993), pp. 9-10; Kenneth Maxwell, "The Atlantic in the Eighteenth Century: A

Southern Perspective on the Need to Return to the 'Big Picture,'" *Transactions of the Royal Society*, 6th ser., 3 (1993), 219-220.

44. Butel, *Atlantic*, pp. 142, 154. 데이비드 핸콕은 곧 출간할 자신의 책에 실린 대서양 포도주 무역에 관한 자료들을 관대하게 제공해주었다. Enthoven, "Dutch Crossing," pp. 24, 27은 네덜란드에서 대서양 여러 지역들로 떠난 190만 명 가운데 70만 명은 이동하는 중에 사망하였거나 해외에 남았다고 추정한다. 이에 반해 아시아로 떠난 100만 명 가운데 63만 명은 돌아오지 않았다. 네덜란드에서 대서양 지역과 아시아 지역의 상대적 중요성에 대해서는 다음을 참조. "The Dutch Atlantic, 1600-1900: Expansion without Empire," *Itinerario*, 23, no. 2 (1999), 48-66. 네덜란드령 대서양 지역에 대한 포괄적 서술로는 다음을 참조. Johannes Postma and Victor Enthoven, eds., *Riches from Atlantic Commerce: Dutch Transatlantic Trade and Shipping, 1585-1817* (Leiden, 2003).

세파르디(스페인, 북아프리카계 유대인)의 대서양 무역에 대해서는 다음을 참조. Paolo Bernedini and Norman Fiering, eds., *The Jews and the Expansion of Europe to the West, 1450-1800* (New York, 2001), chaps. xiv (Jews in French trade: Bordeaux), xviii (in Surinam and Curaçao; population figures, p. 353), xxi (in the slave trade), xxii (in Portuguese and Atlantic commerce), and xxiv (as mediators and innovators in Europe's westward expansion). Cf. map 11, p. 449. See also Enthoven, "Dutch Crossing," pp. 18-21 and citations there; and Wim Klooster, "Curaçao and the Caribbean Transit Trade," in Postma and Enthoven, eds., *Riches from Atlantic Commerce*, p. 205.

쿠라사오와 세인트유스타티우스 섬의 중상주의 장벽 침투에 대해서는 다음을 참조. Linda Rupert, "'Sailing Suspicious Routes': ... Inter-Imperial Trade between Curaçao and Venezuela" (Working Paper, Atlantic History Seminar, 2004); Wim Klooster, *Illicit Riches: Dutch Trade in the Caribbean* (Leiden, 1998) and idem, "Curaçao and the Caribbean Transit Trade."

45. "스페인 제국에서 완연히 무르익은 중상주의는 18세기 부르·봉 개혁에서야 나타났다"고 칼라 필립스Carla Phillips는 썼다. Phillips, "The Growth and Composition of Trade in the Iberian Empires, 1450-1750," in Tracy, ed., *Rise of Merchant Empires*, p. 96; Butel, *Atlantic*, p. 128; 프랑스는 스페인에, 그리고 카디스를 경유해 아메리카 제국에 제조품을 공급한 주요 공급자였다…… 18세기 중반부터 미국 혁명 직전까지 프랑스의 상업 성장을 이끈 것은 언제나 아메리카였다. Butel, Renewal of Foreign Trade," pp. 162, 170; Stanley J. Stein and Barbara H. Stein, *Silver, Trade, and War: Spain and America in the Making of Early Modern Europe* (Baltimore, 2000), pp. 81,

86, 265, 71, 72; Liss, *Atlantic Empires*, p. 50.

46. Wim Klooster, "An Overview of Dutch Trade with the Americas, 1600-1800," in Postma and Enthoven, eds., *Riches from Atlantic Commerce*, p. 378; Stein and Stein, *Silver, Trade, and War*, pp. 18, 88, 25, 264. "내심 중금주의를 꾀했지만 실제로는 효과가 없었던" 16세기 스페인의 보호무역주의는 국내에서 상품 생산의 토대를 침식했고, 그러는 사이 스페인 북쪽 이웃 국가들은 상품 공급을 점점 더 늘려갔다. "그 결과 1580년에서 1630년까지 급증했던 식민지의 귀금속 수출과 그에 따른 수입 수요량이 점차 스페인 본토의 경제 수준을 넘어서게 되었고, 이것은 제노바, 플랑드르, 네덜란드, 잉글랜드, 프랑스의 기능공, 상인, 해운업자들을 자극했다. pp. 86-87. Cf. McCusker and Menard, *Economy of British America*, pp. 77-78 and especially n10. 얼 해밀턴Earl Hamilton은 스페인으로 수입된 금과 은의 10-15퍼센트는 공식 기록에 전혀 나타나지 않는다고 추정했다. Phillips, "Trade in the Iberian Empires," p. 85n107; 스페인으로의 금 밀수의 흥망에 대해서는 ibid., p. 94.

47. A. J. R. Russell-Wood, "Colonial Brazil: The Gold Cycle, c. 1690-1750," *CHLA*, II, 589ff, esp. pp. 591-593; on the Brazilian gold boom in the eighteenth century, see Phillips, "Trade in the Iberian Empires," p. 65.

48. McCusker and Menard, *Economy of British America*, p. 78; Stein and Stein, *Silver, Trade, and War*, pp. 79, 85, 84, 69;

Lawrence H. Gipson, *The Coming of the Revolution*, 1763-1775 (New York, 1954), chap. iii, pp. 60-64; idem, "The American Revolution," *Canadian Historical Review*, 23 (1942), 38. Twenty years later Gipson reduced his estimate of the distilleries' needs to 20,000. *The British Empire before the American Revolution* (Caldwell, Id., 1936-1970), X, 113-114.

Butel, *Atlantic*, pp. 164, 104, 126, 147. 프랑스는 북아메리카에 수입된 당밀의 87퍼센트를 공급했다. 북아메리카로 가는 카리브해 수입품의 절반은 아마도 프랑스령 섬들에서 온 것이고 뉴잉글랜드가 이 무역을 대부분 취급하였다. 이러한 추정에 대해서, 그리고 18세기에 뉴잉글랜드의 영국으로부터의 수입 교역과 엄청난 수익을 가져왔던 카리브해로의 수출 무역 간의 불균형에 대해서, 특히 "1750년 이후에 뉴잉글랜드에 번영을 가져온 핵심 요소"였던 프랑스령 섬들과의 밀수에 대해서는 다음을 참조. David Richardson, "Slavery, Trade, and Economic Growth in Eighteenth Century New England," in Barbara L. Solow, ed., *Slavery and the Rise of the Atlantic System* (Cambridge, 1991), pp. 248-262 and Richard Pares, *Yankees and Creoles: The Trade between North America and the West Indies before the American Revolution* (Cambridge, Mass., 1956)

49. Butel, *Atlantic*, pp. 108, 150, 159; J. H. Parry, "Transport and Trade Routes," in J. H. Clapham et al., eds., *The Cambridge*

Economic History of Europe (Cambridge, 1941-1989), IV, 201-202; Stein and Stein, *Silver, Trade, and War*, pp. 191, 107, 109-116; Liss, *Atlantic Empires*, p. 75; Allan Christelow, "Contraband Trade between Jamaica and the Spanish Main... ," *HAHR*, 22 (1942), 309-343; Klooster, *Illicit Riches*, pp. 1, 87.

50. Stein and Stein, *Silver, Trade, and War*, pp. 136-141, 264.

51. David Eltis, "The Volume and Structure of the Transatlantic Slave Trade: A Reassessment," *WMQ*, 58 (2001), 43, Table I. 노예무역에서 영국이 차지하는 점유율에 더하여서, 18세기에 포르투갈은 디아스포라의 31퍼센트, 프랑스는 18퍼센트를 차지하였다.

52. Stephen D. Behrendt, "Markets, Transaction Cycles, and Profits: Merchant Decision Making in the British Slave Trade," *WMQ*, 58 (2001) 171-204.

53. P. J. Marshall, "The British in Asia: Trade to Dominion," in William R. Louis et al., eds., *Oxford History of the British Empire* (Oxford, 1998-1999), II, 489 and Marshall, "The English in Asia to 1700," I, chap. xii; Phillips, "Trade in the Iberian Empires," pp. 48-55; Thornton, *Africa and Africans*, p. 36; Butel, *Atlantic*, p. 103. 엔토벤은 서인도회사가 아메리카 대륙에 정착지를 세웠던 것과는 달리, 네덜란드 동인도회사는 결코 아시아에 정착지를 세우려고 하지 않았다고 지적하였다. Enthoven, "Dutch Crossing," p. 37.

54. 잉글랜드인 이민 수치 출처. Henry Gemery, "Emigration from the British Isles to the New World, 1630-1700... ," *Research in Economic History*, 5 (1980), 215, Table A. 5; 스페인 사람 이민 수치 출처. Nicolas Sanchez-Albornoz, "The First Transatlantic Transfer: Spanish Migration to the New World, 1493-1810," in Nicolas Canny, ed., *Europeans on the Move: Studies on European Migration, 1500-1800* (Oxford, 1994), pp. 26-36; 프랑스인 이민 수치 출처 Leslie Choquette, *Frenchman into Peasants...* (Cambridge, Mass., 1997), pp. 20-22, 198, 303, chap. i; Leslie Choquette, "Frenchman into Peasants: Modernity and Tradition in the Peopling of French North America," *Proceedings of the American Antiquarian Society*, 104 (1994), 32. 스페인 이민자들의 구성에 대해서는 다음을 참조. Ida Altman and James Horn, eds., *"To Make America": European Emigration in the Early Modern Period* (Berkeley, Calif., 1991), chaps. ii, iii.

55. Eltis, "Volume and Structure of the Slave Trade," Tables I, II, III; David B. Davis, *The Problem of Slavery in Western Culture* (Ithaca, N.Y., 1966), 248ff; Solow, ed., *Slavery*, p. 1.

56. Juan Javier Pescador, *The New World inside a Basque Village: The Oiartzun Valley and Its Atlantic Emigrants, 1550-1800* (Reno, Nev., 2004), p. 126; Liss, *Atlantic Empires*, pp. 52, 76.

57. Butel, *Atlantic*, p. 171; A. G. Roeber, *Palatines, Liberty, and Property: German Lutherans in Colonial British America* (Baltimore, 1993), p. 9, chap. iv; Aaron S. Fogleman, *Hopeful Journeys: German Immigration, Settlement, and Political Culture in Colonial America, 1717-1775* (Philadelphia, 1996), part I; Bailyn, *Peopling of British North America*; Alan L. Karres, *Sojourners in the Sun: Scottish Migrants in Jamaica and the Chesapeake, 1740-1800* (Ithaca, N.Y., 1992).

58. Francis J. Bremer, "Increase Mather's Friends: The Trans-Atlantic Congregational Network of the Seventeenth Century," *Proceedings of the American Antiquarian Society*, 94 (1984), 59-96; Bailyn, *New England Merchants*, p. 88.

59. Frank Klingberg, ed., *Codrington Chronicle: An Experiment in Anglican Altruism...* (Berkeley, Calif., 1949), p. 7; Frederick B. Tolles, *Quakers and the Atlantic Culture* (New York, 1960), pp. 13, 23, 24, 26, 29; Rebecca Larson, *Daughters of Light: Quaker Women Preaching and Prophesying in the Colonies and Abroad, 1700-1775* (New York, 1999), app. 1, 2.

60. J. Taylor Hamilton, *A History of the Missions of the Moravian Church...* (Bethlehem, Pa., 1901), p. 209.

61. J. Taylor Hamilton and Kenneth G. Hamilton, *History of the*

Moravian Church... ([1900] Bethlehem, Pa., 1967), chaps. iv, ix-xi, xiii.

62. Sydney E. Ahlstrom, *A Religious History of the American People* (New Haven, Conn., 1972), p. 243; Gillian L. Gollin, *Moravians in Two Worlds...* (New York, 1967), pp. 46-47.

63. Carola Wessel, "Connecting Congregations: The Net of Communications among the Moravians... (1772-1774)," in Craig D. Atwood and Peter Vogt, eds., *The Distinctiveness of Moravian Culture...* (Nazareth, Pa., 2003), p. 156.

64. Renate Wilson, "Continental Protestant Refugees and Their Protectors in Germany and London: Commercial and Charitable Networks," *Pietismus und Neuzeit*, 20 (1994), 108. 할레는 대서양 역사 세미나에서 한 워크숍의 주제였다. "The Halle Archives and the Pietist Diaspora," November 15-16, 1997. 참가자들과 프로그램에 대해서는 세미나 웹사이트를 참조. www.fas.harvard.edu/~atlantic/hallewsp.html. 선교사들이 할레로 보내온 방대한 보고서와 그들이 선교를 위해 가지고 갔던 자료의 복사본이 오늘날까지도 프랑케 재단 문서고의 선반에 남아 있다. Thomas J. Müller-Bahlke and Jürgen Gröschl, eds., *Salzburg, Halle, Nordamerika* (Halle, 1999). 전문은 다음을 참조. Renate Wilson, *Pious Traders in Medicine: German Pharmaceutical Networks in Eighteenth-Century North America* (University Park, Pa., 2000). On the Jesuits:

James Axtell, *The Invasion Within: The Contest of Cultures in Colonial North America* (New York, 1985), p. 276.

65. See Jacques Lafaye, "Literature and Intellectual Life in Colonial Spanish America," *CHLA*, II, 695. Cf. Lafaye, *Quetzalcóatl and Guadalupe*, p. 68.

66. Liss, *Atlantic Empires*, p. 85; Elliott, "Spain and America," pp. 314-319, 336; David A. Brading, "Bourbon Spain and its American Empire," *CHLA*, I, 402, 438-439.

67. John T. Lanning, *The Eighteenth-Century Enlightenment in the University of San Carlos de Guatemala* (Ithaca, N.Y., 1956), pp. 342-350; Lafaye, "Literature and Intellectual Life," pp. 675-676, 696.

68. Jaime E. Rodríguez, *The Independence of Latin America* ([1996] Cambridge, 1998), pp. 13-19; Anthony Pagden and Nicholas Canny, "Afterword: From Identity to Independence," in Canny and Pagden, eds., *Colonial Identity in the Atlantic World*, pp. 270-272, 277; Brading, *First America*, pp. 450-462; Lafaye, "Intellectual Life in Spanish America," pp. 694-704; Paz, in Lafaye, *Quetzalcóatl and Guadalupe*, p. xvi; Jordana Dym, "Conceiving Central America: Public, Patria and Nation in the *Gazetta de Guatemala* (1797-1807)" (paper presented at New York University Graduate History Students Workshop, 1997),

pp. 6, 8, 17. 부르봉 개혁이 크레올 엘리트들에게 미친 영향에 대해서는 다음을 참조. John Lynch, ed., *Latin American Revolutions, 1808-1826* (Norman, Okla., 1994), pp. 12-17, 27; 크레올들의 초기 민족주의에 대해서는 pp. 34-37, 383-384.

69. Lafaye, *Quetzalcóatl and Guadalupe*, pp. xvi, xvii, chap. xv; Enrique Florescano, *Memory, Myth, and Time in Mexico: From the Aztecs to Independence*, trans. Albert G. Bork (Austin, 1994), chap. v ("Creole Patriotism, Independence, and the Appearance of a National History"); David A. Brading, *Mexican Phoenix: Our Lady of Guadalupe: Image and Tradition, 1531-2000* (New York, 2001), pp. 127-128, chap. viii; idem, *Prophecy and Myth in Mexican History* (Cambridge, 1984), pp. 28-31, 40; idem, *Classical Republicanism and Creole Patriotism: Simón Bolívar (1783-1830) and the Spanish American Revolution* (Cambridge, 1983), pp. 7-8; Rodríguez, *Independence*, p. 1.

70. Richard Herr, *The Eighteenth-Century Revolution in Spain* (Princeton, N.J., 1958), chaps. ii, vi, p. 165; Liss, *Atlantic Empires*, pp. 92, 230; Charles E. Ronan, *Francisco Javier Clavigero, S.J. (1731-1787): Figure of the Mexican Enlightenment, His Life and Works* (Chicago, 1977), pp. 14-28, 20-23, 344-345; Brading, *First America*, chap. xx; idem, *Mexican Phoenix*, pp. 186-188; Anthony Pagden,

Spanish Imperialism and the Political Imagination: Studies in European and Spanish-American Social and Political Theory, 1513-1830 (New Haven, Conn., 1990), chap. iv; Florescano, *Memory, Myth, and Time in Mexico*, chap. v; Benjamin Keen, *The Aztec Image in Western Thought* (New Brunswick, N.J., 1971), pp. 292-300.

개혁적 이상들을 퍼뜨린 주요 활동가로서의 존 트렌차드와 토머스 고든에 대해서는 다음을 참조. Bernard Bailyn, *Ideological Origins of the American Revolution*, (enl. ed., Cambridge, Mass., 1992), pp. 35-36, 43-45 and specific citations throughout. 스페인령 아메리카 대학들에서 계몽주의 사상이 전통적인 스콜라주의에서 서서히 벗어난 과정에 대해서는 다음을 참조. John T. Lanning, *Academic Culture in the Spanish Colonies* (Port Washington, N.Y., 1940), esp. chap. iii; Arthur P. Whitaker, ed., *Latin America and the Enlightenment* (Ithaca, N.Y., 1961), esp. essays by Lanning and Griffin; and Rodríguez, *Independence*, chap. ii.

71. John L. Phelan, *The People and the King: The Comunero Revolution in Colombia, 1781* (Madison, Wisc., 1978), p. xviii.

72. Emma Rothschild, "David Hume and the Sea-Gods of the Atlantic" (Working Paper, Centre for History and Economics, King's College, Cambridge, 2004), pp. 39, 48.

저자의 허락을 받고 인용함.

73. Mark G. Spencer, ed., *Hume's Reception in Early America* (2 vols.; Bristol, Eng., 2002); Bernard Bailyn, *To Begin the World Anew: The Genius and Ambiguities of the American Founders* (New York, 2003), chap. v; Brading, First America, pp. 608-620; idem, *Classical Republicanism and Creole Patriotism.*

74. Franco Venturi, *Utopia and Reform in the Enlightenment* (Cambridge, 1971), chap. iv; Michel Porret, ed., *Beccaria et la culture juridique des Lumières...* (Geneva, 1997); William W. Pierson, Jr., "Foreign Influences on Venezuelan Political Thought, 1830-1930," *HAHR*, 15 (1935), 8-9; Jonathan Harris, "Berandino Rivadavia and Benthamite 'Discipleship,'" *Latin American Research Review*, 33 (1998), 129-149; Beatriz Dávilo, "Travels, Correspondence, and Newspapers in the Constitution of Transatlantic Political and Intellectual Networks, Río de la Plata, 1810-1825" (Working Paper, Atlantic History Seminar, 2003); Ruth Pike, "Penal Servitude in the Spanish Empire: Presidio Labor in the Eighteenth Century," *HAHR*, 58 (1978); H.L.A. Hart, *Essays on Bentham: Studies in Jurisprudence and Political Theory* (Oxford, 1982), chap. ii and pp. 40-52. 벤투리Venturi 는 자신이 편집한 베카리아의 *Dei Delitti E Delle Pene...* (Turin,

1978)에 붙인 부록에서, 베카리아가 이탈리아, 프랑스, 잉글랜드, 스페인, 스위스, 오스트리아, 독일, 덴마크, 스웨덴, 러시아에 미친 영향을 추적한다. David Bushnell, ed., Frederick H. Fornoff, trans., *El Libertador: Writings of Simón Bolívar* (New York, 2003), pp. 214-215.

75. Arthur Sheps, "The American Revolution and the Transformation of English Republicanism," *Historical Reflections / Réflexions Historiques*, 10 (1975), 3, 6, 26-28; Bailyn, *To Begin the World Anew*, chap. v.

76. Godechot and Palmer, "Le Problème de l'Atlantique," pp. 204, 226; Lynch, ed., *Latin American Revolutions*, p. 33; Rodríguez, *Independence*, p. 246.

77. Bolívar to Juan José Flores, Nov. 9, 1830; "The Angostura Address," Feb. 15, 1819, in Bushnell, ed., *El Libertador*, pp. 146, 36, 53. Cf. Brading, *Prophecy and Myth*, p. 51.

찾아보기

대서양의 역사
– 개념과 범주

2010년 5월 25일 찍음
2010년 6월 5일 펴냄

지은이 버나드 베일린
옮긴이 백인호

펴낸이 정종주
편집 이재만 이영호 김원영
마케팅 김창덕

펴낸곳 도서출판 뿌리와이파리
등록번호 제10-2201호(2001년 8월 21일)
주소 서울시 마포구 서교동 451-48 2층
전화 02.324-2142~3
팩스 02.324-2150
이메일 puripari@hanmail.net

디자인 강찬규
출력 경운프린테크
종이 화인페이퍼
인쇄 및 제본 영신사
라미네이팅 금성산업

값 15,000원
ISBN 978-89-6462-002-1 (93900)

이 도서의 국립중앙도서관 출판시도서목록(CIP)는 e-CIP 홈페이지(http://www.nl.go.kr/ecip)에서
이용하실 수 있습니다. (CIP 제어번호: CIP 2010001816)